O BEBÊ
É MEU

Oyinkan Braithwaite

O BEBÊ
É MEU

Tradução de Carolina Kuhn Facchin

kapulana

São Paulo
2021

Copyright © 2021 Editora Kapulana Ltda. – Brasil
Copyright © Oyinkan Braithwaite, 2021

Proibida a venda desta edição em Portugal.

Direção editorial:	Rosana M. Weg
Tradução:	Carolina Kuhn Facchin
Projeto gráfico e capa:	Daniela Miwa Taira

Dados Internacionais de Catalogação na Publicação (CIP)
(Câmara Brasileira do Livro, SP, Brasil)

Braithwaite, Oyinkan
  O bebê é meu / Oyinkan Braithwaite; tradução Carolina Kuhn Facchin. -- 1. ed. -- São Paulo: Editora Kapulana, 2021

  Título original: The baby is mine
  ISBN 978-65-87231-05-1

  1. Ficção nigeriana I. Título.

21-60177   CDD-Ni823

Índices para catálogo sistemático:

1. Ficção: Literatura nigeriana Ni823
Maria Alice Ferreira - Bibliotecária - CRB-8/7964

2021

Reprodução proibida (Lei 9.601/98).
Todos os direitos desta edição reservados à Editora Kapulana Ltda.
editora@kapulana.com.br – www.kapulana.com.br

I

Eu estava morando com a Mide (ela dos quadris largos e cabelos bem crespos) quando o governo da Nigéria anunciou que nós íamos nos juntar ao mundo e entrar em *lockdown*. Praticamente do dia para a noite, a vida pareceu paralisar e já não era mais considerado seguro socializar livremente com outras pessoas. Então nós ficamos em casa.

Eu não liguei. A Mide tinha um apartamento lindo em Ikoyi, com vista para a Lagoa. Ela tinha umas janelonas, então tinha sempre luz entrando e refletindo nos vários espelhos. Nós entramos numa rotina. Ela gostava de cozinhar para mim, eu gostava que ela cozinhasse. A gente comia e aí íamos cada um para o seu lado para responder nossos e-mails e participar de reuniões no Zoom, e à noite nos juntávamos novamente. Estávamos felizes.

Então eu não estava esperando ser acordado a uma da manhã com a tela de um celular brilhando a poucos centímetros do meu rosto. Será que ela tinha ficado segurando aquilo ali até eu acordar, ou tinha chamado meu nome?

"Que que é isso aqui?" ela perguntou. As palavras dela saíram metade choro, metade grunhido, então eu sabia que tinha alguma coisa errada. Apertei os olhos para enxergar contra a luz forte. O celular que ela tinha na mão era meu e estava aberto numa conversa de WhatsApp de uma semana atrás. Como é que eu fui esquecer de apagar aquilo?

"Você mexeu no meu celular?" perguntei. Eu não sabia o que mais podia dizer. Eu ainda estava tentando espantar o sono, ainda estava tentando entender como ela tinha adivinhado minha senha.

"Sim. E ainda bem que mexi, porque você é um mentiroso, traidor!"

Ela largou o celular do meu lado e saltou da cama. Eu agarrei meu telefone, apaguei as mensagens e fotos, e corri atrás dela.

"Me deixa explicar". Não teve explicação. Eu disse todas as coisas que você tem que dizer nessas horas – Não significou nada. Foi um erro. Rolou antes das coisas entre a gente ficarem sérias. Mas tudo que eu dizia só a deixava mais irritada.

"Me avisaram sobre você, mas eu não escutei", ela disse, abrindo o guarda-roupas e puxando minhas calças e camisas.

"São uns *haters*. Todo eles. Amor, a gente consegue resolver isso aqui. Todo relacionamento tem seus altos e baixos."

Ela riu: "Você é inacreditável, Bambi, sério. Uma peça única. Mas pra cima de mim você não vai vir com essa, não. Já pra fora dessa casa!"

As coisas estavam começando a parecer sérias. Tentei outra abordagem. "Amor, calma. Eu nem posso ir pra lugar nenhum agora. A gente está em *lockdown*, lembra?"

Por pouco eu consegui desviar de um par de sapatos. Decidi que talvez a gente dar um tempo fosse a melhor solução. Juntei as minhas roupas e enfiei todas em uma sacola, e prometi para ela que ia ligar. Ela respondeu destrancando a porta e a segurando aberta para mim. Entrei no meu carro e saí pela garagem pela primeira vez em duas semanas.

Logo que eu saí, andei bem devagar, com medo de algum policial me ver. Agora era considerado crime sair de casa a não ser que fosse para comprar suprimentos básicos. Mas talvez ele deixasse passar de boa em troca de umas duas notas de cem naira.

Mas não vi nenhum policial e nenhum outro carro na rua. Era só uma da manhã, mas mesmo assim... estávamos em Lagos! Abuja pode ser a capital, mas é em Lagos que todo mundo quer estar – a cidade está transbordando com vinte milhões de habitantes. Então foi estranho passar pela Rodovia Alexander e não ver quase nenhum veículo. É difícil imaginar que algum dia a vida vai voltar a ser o que era.

A questão agora era: para onde ir? A Mide não me deu tempo para pensar nisso, então eu fiquei só indo e voltando pelas ruas vazias. Tentei ligar para o Uche, com quem eu dividia um apartamento antes de ir morar com a Mide. Mas ele não atendeu e, de qualquer maneira, ele já tinha me dito que outra pessoa tinha alugado meu quarto. Minha irmã teria sido a opção mais óbvia, mas ela e a família estavam viajando de férias e não tinham conseguido voltar antes da Nigéria fechar as fronteiras. Então eles foram forçados a esticar a estadia num Airbnb e gastar mais dinheiro do que tinham planejado. Talvez eu pudesse ligar para ela mesmo assim só para ouvir uma voz amiga, mas ela só ia rir da situação em que eu me meti.

"Bem feito", ela diria. "Talvez isso te ensine a sossegar o facho."

Mesmo que eu já tivesse explicado várias vezes para ela que o homem não foi feito para ficar só com uma mulher. Isso vai contra as leis da natureza, até. E quem sou eu para discutir com a natureza?

II

A casa do meu avô era uma das poucas que tinha sobrado na rua Adetokunbo Ademola. Ele tinha comprado a propriedade logo antes da guerra civil e deixado de herança para o titio Folu.

Já fazia um tempo que eu não visitava a casa, mas ela ficava a só uns dez minutos de carro do apartamento da Mide, e eu sabia onde eles deixavam uma chave extra. Imaginei que a casa estaria vazia – o titio Folu foi a primeira pessoa que eu conhecia que morreu infectado pelo vírus, e não acreditava que minha tia fosse ficar na casa sozinha. E como ela tinha um bebê recém-nascido, era bem mais provável que ela tivesse ido para a casa de um parente. Pensei em me abrigar lá até o *lockdown* terminar.

Não tinha um porteiro para abrir o portão para mim, então eu mesmo puxei os trincos e empurrei os portões, um, depois o outro, até eles estarem bem afastados. Entrei com o carro e desliguei o motor. Nada se moveu, só uma palmeira alta que escondia o bangalô. Dei a volta até a porta de trás, pulando para desviar das mangas que já tinham amadurecido e caído do pé há tempos. Já tinham começado a apodrecer. Levantei o capacho que ficava na frente da porta da cozinha e peguei a chavezinha prateada. Entrei na cozinha.

A casa estava escura. Tentei o interruptor, mas nada aconteceu – estava sem energia, um acontecimento comum em Lagos. Usei a lanterna do meu celular para abrir as gavetas e encontrar uma vela e uma caixa de fósforos. Sem luz, eu não ia poder carregar meu celular, então não queria desperdiçar bateria.

Esquentei a parte de baixo da vela com a chama do fósforo para ela amolecer um pouquinho e grudar num prato. Assim eu ia poder segurar a vela sem que a cera pingasse na minha pele.

Uma porta bateu e eu quase deixei a vela cair. Mas a não

ser que o velho bangalô agora tivesse fantasmas, era seguro dizer que a minha tia estava em casa. Eu devia ter ligado antes de vir. Acendi a vela, saí da cozinha e fui pelo corredor na direção da sala de jantar. Eu estava indo para o coração da casa – a sala de estar.

De repente, a porta do banheiro de visitas se abriu e me deu um susto, e acabei dando dois passos para trás. A titia Bidemi saiu do banheiro. Ela soltou um ganido de medo quando me viu. Levantei a vela um pouco para ela ver meu rosto.

"Sou eu, titia."

"Bambi?"

"Ele mesmo."

Eu conseguia ver a silhueta dela à luz da vela – o corpo baixinho, os quadris largos e a peruca grudada na cabeça; bem diferente do afro natural e sexy da Mide.

"O que você está fazendo aqui? Você não sabe do *lockdown*?" titia Bidemi perguntou, forçando os olhos para me ver.

"Meu contrato de aluguel venceu e o proprietário estava sendo sem noção. Sabe como as pessoas estão hoje em dia..."

Ela ficou um segundo sem responder, um segundo em que passou pela minha cabeça que eu logo estaria de volta no meu carro, assim, pá-pum. Olhando para ela, percebi que a peruca dela estava meio torta para a esquerda, e que ela provavelmente não penteava os cabelos há semanas. Estavam parecendo palha e cheios de nós em algumas partes. O luto ainda estava pesando. Tentei lembrar se tinha ligado para ela para dizer que sentia muito...

"Ah, talvez seja até bom você estar aqui", suspirou. Ela abriu a porta da sala de estar e eu segui logo atrás.

O cômodo estava iluminado por uma lanterna à pilha. As paredes estavam cobertas de fotos de filhos e netos que meu avô tinha coletado. Em cima da TV havia uma foto de quando me formei, acima de uma foto da minha irmã na formatura dela. Os sofás antigos estavam cobertos por um pano para não pegar pó, assim como o piano. E tinha uma mulher na sala. Mesmo de costas para nós, eu percebi quem ela era pelo formato dos quadris e das pernas longas e fortes. Esohe se virou e me olhou nos olhos. Eu estava completamente confuso. Nunca esperaria ver essas duas mulheres num mesmo lugar.

"Bambi, essa é a Esohe", titia Bidemi informou.

Será que eu devia dizer que já a conhecia?

Pigarreei e disse: "Olá."

"Oi."

Ficamos lá parados, com as pequenas fontes de luz iluminando nossas expressões vazias. Eu estava tentado a apagar minha vela, para caso minha cara dedurasse o que eu estava pensando. Ver Esohe aqui, quando minha tia também estava em casa, era bizarro. Tinha várias perguntas que eu queria fazer, mas não podia perguntar nada sem revelar meu segredo. E eu não queria ser expulso de duas casas no mesmo dia.

"Você está com fome?" titia Bidemi perguntou. "Esohe, pegue alguma coisa pro Bambi comer?"

Esohe colocou as mãos nos quadris ossudos e apertou os lábios. Ela estava de camiseta e *leggings*, contrastando com o *bubu* largo que a titia Bidemi estava vestindo. "Estou cansada."

A titia Bidemi massageou as rugas da testa e estendeu os lábios em um sorriso. Era um gesto que eu reconhecia dos meus anos de revolta adolescente. Eu já sabia quais seriam as próximas palavras.

"Não estou pedindo muito, estou?"

Esohe deu de ombros: "Ok, eu preparo alguma coisa. Mas você não pode me tratar que nem se eu fosse a empregada."

Ela passou por mim e cheirava a manga e canela. Senti meus músculos tensionarem. Decidi que era melhor não ir atrás dela. Me virei e encontrei titia Bidemi me encarando, como se estivesse tentando adivinhar meus pensamentos. Ela sorriu.

"Vem cá, vem ver o bebê, Bambi."

Foi só aí que eu percebi o bercinho.

III

Titia Bidemi estava sorrindo para mim, me esperando ir até o bercinho e me derreter todo para o bebê. Eu me aproximei e olhei para dentro do berço.

O bebê parecia uma batata assada.

Eu queria poder dizer que era fofinho, mas não conseguia decifrar se era menino ou menina. Elas tinham colocado uma roupinha branca, o que não me ajudou em nada. Ele estava acordado e esticou as mãozinhas na minha direção.

"Parabéns, titia. *E ku ewu omo.*" Falei com ela em iorubá, dando parabéns por ter sobrevivido aos perigos que vinham com o parto. Eu tinha pensado em ligar para ela e para o titio Folu quando fiquei sabendo que ela tinha dado à luz; mas acabei me esquecendo. Mas eu sabia quanto ela tinha tentado engravidar e estava feliz por ela.

Ela se virou para mim, piscou e sorriu. Titia Bidemi tinha um sorriso fofo – os lábios empurravam as bochechas para cima, as bochechas achatavam os olhos, e eles viravam quase fendas. Era bom saber que mesmo depois de tudo pelo que ela tinha passado, ela ainda conseguia sorrir.

"*E se o.*" ela respondeu. "Você quer pegar ele no colo?"

Um menino, então. Ela não me deu chance de recusar, pegou o bebê no colo e o passou para mim, me dando tempo só para colocar a vela em cima de uma mesa e formar uma rede desengonçada com meus braços. Ele me olhou. Ele parecia saber que eu era um estranho. A camisetinha branca dele dizia "Meu papai é um herói", e eu achei isso muito triste.

"O nome dele é Remilekun", ela me disse, mesmo sem eu ter perguntado. "Ele gostou de você."

"Hmmm."

"Ele se parece com o Folu?"

Procurei o meu tio no rostinho dele, mas não consegui encontrar nada que me fosse familiar. O cabelo dele era bem preto e cacheado, todo amontoado no cocuruto. Ele puxou a correntinha de prata que eu usava no pescoço. Ele claramente não tinha nem ideia de como essa corrente tinha sido cara. Eu soltei o fio gentilmente dos dedos dele e o entreguei de volta para a mãe.

"Ele é bem bonitinho", eu disse, e ela me presenteou com um sorriso torto. Será que ela ia chorar? Peguei minha vela na mesinha de canto e pedi licença.

Andei pelos longos corredores, o som dos meus pés ecoando nos ladrilhos, até o quarto que era meu sempre que eu visitava. Era o que ficava mais longe da sala e da cozinha, e você precisava passar por três outros quartos e um corredor auxiliar para chegar até ele. Eu gostava da privacidade que tinha lá.

Sentei na cama e me perguntei pela centésima vez qual das quatro esposas do meu avô tinha decorado os quartos. Me parecia que ela tinha escolhido o papel de parede mais feio que tinha conseguido encontrar. O desse quarto era uma mistura esquisita de amarelo mostarda e verde. As *leggings* da Esohe eram verdes. O que ela estava fazendo na casa?

Minha camiseta estava grudando na minha pele e me lembrei de como estava calor. Então tirei a camiseta e a joguei numa cadeira. Olhei meu celular para ver se a Mide já tinha parado de surtar. Ainda não. Apaguei a vela e fechei meus olhos.

IV

Acordei com fome e me sentindo grudento, mas percebi que a casa tinha um burburinho de atividade – ouvi o zunido baixo de aparelhos de cozinha e a estática da TV. A luz tinha voltado, ao menos por enquanto. Saí da cama, alonguei meus músculos e liguei o ar-condicionado, parado bem embaixo dele e sentindo o ar frio acalmar meu corpo e minha alma.

Ouvi uma batida leve na porta.

"Pode entrar."

"Me ajuda a abrir, por favor."

Abri a porta e encontrei titia Bidemi segurando uma bandeja com comida. Peguei a bandeja das mãos dela e a coloquei na minha cama.

"Obrigado. Você devia ter me dito que estava pronto, eu teria ido na cozinha buscar."

"Ah, não. Você é visita. Temos que te tratar de acordo." Os olhos desceram do meu rosto para o meu torso nu. Peguei minha camiseta e a coloquei de volta.

Ela tinha gotículas de suor na testa, no nariz e em cima dos lábios, onde também dava para ver um bigode ralo. Ela não estava se cuidando mesmo. Eu ainda me lembrava da aparência dela como uma noiva, novinha. Eu tinha só dez anos, e para mim ela era uma Princesa Disney. Ou três Princesas Disney – mesmo naquela época, a cintura dela não era fina. Ela sentou na minha cadeira, que grunhiu em protesto. Limpou a testa e a peruca escorregou um pouco mais para a esquerda.

Lá fora, ouvi um galo cantar. Olhei para o meu telefone. Ainda era cedo. Eu queria comer sozinho, mas ela não parecia estar com pressa de ir embora. No prato havia feijão e banana-da-terra. Sentei na minha cama, peguei a bandeja e comecei a comer. Eu teria esperado ela sair, mas estava com fome. Talvez depois de recuperar o fôlego ela...

"Esohe era... amante... do seu tio."

Coloquei o garfo de volta no prato. Tentei parecer chocado. "Sério?!"

V

A primeira vez que vi Esohe foi num bar. Era um lugar aonde eu ia quando não queria encontrar ninguém que conhecesse. Era longe do centro, sem graça, e sempre infestado de fumaça de cigarro e maconha. Naquela noite, entrei e cumprimentei de longe Dotun, a *barwoman*, de longe. Ela me respondeu com um joinha e começou a preparar meu pedido de sempre.

Fui na direção do banco no canto do bar onde eu sempre sentava – de lá, você tinha a melhor visão de todo o bar e da entrada; mas ele estava ocupado.

"Tio Folu?"

Ele me olhou e fez uma cara. Não estava feliz de me ver. A moça que estava sentada de frente para ele e de costas para mim se virou. Fiquei chocado com como ela era magra e comprida, tipo um louva-a-deus. Não parecia o tipo de mulher com quem você trai sua esposa – os peitos dela quase nem existiam. Nós dois apreciávamos mulheres curvilíneas e cheinhas, e ela não era nada disso. Talvez não fosse uma amante. Talvez eu estivesse interrompendo uma reunião de negócios. Mas quem fazia negócios num bar que nem aquele?

Respondi ao olhar severo do meu tio com um sorriso e me sentei ao lado dele. Estendi minha mão para a mulher.

"Meu nome é Bambi. E quem eu estou tendo o prazer de conhecer?" Ela apertou minha mão. Apertos de mão ainda eram permitidos na época. A pandemia ainda não tinha chegado para nos fazer temer qualquer contato físico. Ela sorriu para mim, mas olhou para meu tio procurando permissão. Com certeza era uma amante, então. Ele concordou com um aceno curto. E nós nos olhamos novamente.

"Meu nome é Esohe."

Estudei a moça, tentando entender o que fazia meu tio se sentir atraído por ela. Ela era mais nova do que eu, o que queria dizer que era pelo menos vinte anos mais nova que tio Folu, então talvez essa fosse a atração. Dotun trouxe minha comida até a mesa.

"Pode colocar na conta do meu tio, por favor", eu disse para ela. "Esohe, você já pediu?"

"Não, eu..."

"Ah! Dotun, pode trazer pra ela a melhor carne de cabra que vocês tiverem aí, e... você quer um *chapman*? Eles fazem um *chapman* fantástico... ótimo! E um *chapman*, Dotun!"

Tio Folu ia acabar comigo mais tarde, eu sabia bem disso, mas estava me divertindo. E Esohe estava meio que sorrindo. Ela percebeu que eu estava me aproveitando do desconforto dele. Talvez estivesse contente por vê-lo envergonhado.

Mas independentemente de quanto meu tio estivesse irritado, ele sabia que o que estava acontecendo ali permaneceria entre as quatro paredes daquele bar pé-sujo. Havia quartos lá em cima que ele com certeza pretendia utilizar, mas isso não era problema meu. Meu tio era um bom marido – ele dava tudo que a esposa pedia e nunca tinha enchido o saco da tia Bidemi por ela não conseguir ter filhos. Se ele precisava aliviar o estresse de vez em quando, por que eu teria direito de julgá-lo?

VI

"Bambi, eu achei que ele tinha parado com essas coisas. Por que os homens são assim?", tia Bidemi perguntou.

Eu não tinha certeza se ela queria que eu falasse em nome de todos os homens, ou só pelo tio Folu. Esse não era um bom momento para dar meu discurso sobre como ia contra a natureza pedir para um homem amar só uma mulher. Em vez disso, tentei pensar em algo que fosse confortá-la. Ela estava sentada bem na beirada da cadeira. O ar-condicionado tinha começado a refrescá-la; ela estava suando menos.

"Bom..."

"Eu não sou mais atraente?"

Ela já não estava na flor da idade, isso era óbvio. Mas ainda tinha seus charmes – o sorriso, para começar, e a pele ainda parecia macia como um travesseiro. Podia ser dito que ela tinha algumas dobrinhas em excesso, mas isso provavelmente era culpa da gravidez.

"Se eu tivesse a sua idade, estar com você seria sorte minha", eu disse.

Ela suspirou e a respiração pesada fez os peitos balançarem. Ela sempre tinha tido seios de mãe.

"Se um homem tem dinheiro, ele não envelhece. Não que nem uma mulher."

Me aproximei e coloquei a mão no ombro dela. "O tio Folu te amava. O que ele tinha com a Esohe com certeza não era sério." Mas ela afastou minha mão.

"E que amor é esse? Sabia que ela nem sabe fazer a sopa favorita dele? O Folu não parou de reclamar até eu aprender a fazer sopa de *egusi* bem do jeitinho que ele gostava. E essa menina nem..."

A voz dela tremeu.

"Por que ela está aqui, tia Bidemi?"

Tia Bidemi deu outro suspiro balançante: "Ela estava grávida e não tinha pra onde ir."

"Esohe estava grávida?!" Minha voz saiu meio esganiçada. Tossi para limpar a garganta. Eu provavelmente não tinha escutado bem o que tia Bidemi tinha dito.

"Sim, ela estava. Mas perdeu o bebê, coitadinha. E antes de eu pedir pra ela, por favor, ir embora, o *lockdown* começou."

"Hmmm", tentei aceitar a informação que tinha acabado de ouvir. Esohe estava grávida? Fazia quantos meses desde a última vez que eu tinha encontrado com ela? Com certeza ela teria me dito se...

"Você está bem?"

"Ahn? Ah, sim. É o calor." Me abanei com as mãos para dar credibilidade à explicação.

Tia Bidemi se levantou.

"Vou deixar você comer em paz."

Não sei bem se respondi alguma coisa. Demorei um tempo para voltar a comer e àquela altura a comida já estava fria.

VII

Eu precisava de um banho. Fui até meu carro pegar minhas coisas e aí fui direto para o banheiro, enrolado em uma toalha e preparado com meu xampu e tudo mais. Parecia que fazia um tempo desde a última vez que tinham limpado o banheiro; vi umas marcas estranhas na pia e no chão.

Tinha um balde preto dentro da banheira esperando para ser enchido de água para um banho à moda antiga. Abri a torneira e esperei o balde encher. Eu tinha recém-derramado a primeira caneca de água no corpo quando ouvi o grito.

Peguei minha toalha e corri para fora do banheiro. Ouvi as duas mulheres berrando e segui o som até o quarto da tia Bidemi. Tentei a maçaneta. A porta não se abriu imediatamente. Às vezes, você precisava batalhar contra as portas nessa casa antiga. Usei meus ombros.

Elas pareciam duas cobras enroladas no chão, puxando as roupas uma da outra em cima do tapete vermelho-vinho de pele de ovelha. Uma tigela azul de cerâmica estava quebrada, e vi laranjas descascadas em meio aos cacos. O bebê estava na beirada da cama chorando, a fralda colocada pela metade. Abafei minha irritação e fui reto até o bebê, passando por cima das mulheres engalfinhadas no chão e o pegando no colo. Liberei uma mão e agarrei o braço da Esohe, puxando-a para longe da minha tia. Minha toalha caiu e eu larguei a mulher bem a tempo de impedir que eu ficasse completamente exposto.

"Que merda é está acontecendo aqui?", gritei.

Elas me olharam como se estivessem surpresas por me ver. A peruca da tia Bidemi tinha sido arrancada. Repeti minha pergunta, com mais calma.

Esohe se levantou. Ela era uns centímetros mais alta do que eu, então fui forçado a levantar os olhos para encará-la. Ela tinha um corte feio no braço, mas não parecia ter percebido que estava sangrando. Ela apontou para o bebê irritado e choroso que eu estava segurando.

"Esse bebê é meu!"

"Você é doida", tia Bidemi retrucou. Ela foi se arrastando até a cama e a usou como apoio para se levantar. "E eu quero você fora daqui! Quero você fora daqui agora!"

Esohe pegou um caco da tigela de cerâmica e o apontou para tia Bidemi, forçando a mulher mais velha a dar uns passos para trás. Me coloquei entre as duas.

"Se você tentar atacar a minha tia, você vai se ver comigo." Esohe não quis saber se eu estava falando sério; baixou a arma. Ela estava com a respiração pesada. As tranças loiras estavam grudadas na pele escura.

"O bebê é *meu*", ela repetiu.

Ela abriu os braços, como se estivesse esperando que eu fosse simplesmente entregar o bebê nas mãos dela. Eu o segurei um pouco mais perto. Ele parecia um travesseiro.

"Sinto muito que você tenha perdido seu bebê, Esohe, sei que deve ter sido muito..."

"Você está doido? Eu não perdi meu bebê. Foi isso que *ela* te disse?" A voz dela estava ficando cada vez mais alta. Tia Bidemi saiu detrás de mim.

"Essa menina é desequilibrada. Pode me dar o bebê." Eu quase o entreguei para ela, mas ela parecia estar pior do que a mulher que estava acusando. A peruca dela estava pisoteada no chão e dava para ver as trancinhas coladas em sua cabeça, salpicadas de caspa. O rímel estava escorrendo de seus olhos, então parecia que ela estava chorando uma gosma preta. E não tinha como negar que *as duas* tinham escolhido aquela briguinha idiota e negligenciado a segurança do bebê.

Além disso, agora ele estava quieto. Não tinha porque o

entregar para ninguém. Como que concordando, ele agarrou meu dedo.

"É ela que tem um bebê morto!" Esohe rosnou.

"Você está dizendo que minha tia é mentirosa?"

"Então sou eu que sou mentirosa?"

"Nem fala com ela, Bambi, é só me entregar o bebê." Tia Bidemi estava agitada.

"Não! Não!" Esohe gritou. "O bebê é meu!"

O bebê começou a chorar de novo. Me segurei para não colocar Esohe para fora do quarto e trancar a porta.

"Se acalmem! Olha, a gente não está no ano 1000 a.C. Você não pode simplesmente dizer que um bebê é seu. Hoje nós temos testes de DNA."

"Ok. Vamos fazer um teste de DMA."

"DNA."

"Que seja. Vamos lá."

Um desenrolar interessante para os eventos. Olhei para tia Bidemi. Ela deu de ombros e cruzou os braços.

"Por mim, tudo bem. Vamos lá."

Esohe sabia fazer uma cara de paisagem impressionante para alguém que obviamente estava blefando. Eu não queria perder o tempo de ninguém requisitando um teste de DNA, mas talvez fosse o único jeito de resolver as coisas.

"Ok... Vou ligar pra uns hospitais e aí falo com vocês..."

"Não. Você tem que ligar na minha frente, pra eu saber que não me passaram a perna."

"Ok, então. Vamos todos nos encontrar na sala em dez minutos. Preciso me vestir e pegar meu celular." Saí do quarto levando o bebê antes de alguma delas ter chance de dizer qualquer coisa. Ele tinha dormido.

VIII

Tanto eu quanto o bebê estávamos basicamente pelados, então o coloquei na cama e o cobri até o pescoço com um *blazer*, e aí coloquei cuecas, uma regata e uma calça de moletom. Sentei na cama ao lado dele. Ele era tão pequeninho. A pele dele era bem marrom, exceto por uma mancha de nascença amarelada na barriga. Passei as mãos nos cachinhos macios que cresciam na cabeça dele.

Já satisfeito com a quantidade de roupas que tinha vestido, desengatei meu celular do carregador, peguei o bebê de novo e fui para a sala de estar. Por sorte, tia Bidemi já estava lá com uma fralda limpa e um macacão. Entreguei o bebê para ela, e ela limpou a bundinha dele, passou talco e colocou uma fralda como se fosse uma *expert* ninja.

Esohe entrou e estreitou os olhos. Percebi que ela estava tentada a se aproximar e agarrar o bebê, mas se sentou na cadeira perto da porta.

"Pode ligar", ela disse.

Liguei para meu amigo Uche. Ele era médico e eu sabia que estaria disposto a me ajudar. Coloquei a ligação no viva-voz.

"Cara, como você está?"

"Bem", respondi. "E você? Como estão as coisas?"

"Cara, estamos levando um dia de cada vez. Desculpa não ter atendido aquele dia. Espero que você não esteja doente, que não seja por isso que você está me ligando."

"Não, não. Eu estou bem. Eu só preciso de um conselho. Você pode falar?"

"Sim. Manda."

"Como é que alguém poderia fazer um teste de DNA?"

Ele soltou um suspiro: "Eu sabia que esse dia ia chegar."

Esohe deu um sorrisinho e eu tirei a ligação do viva-voz.
"Não é um teste de paternidade que eu quero", rosnei.
"Ah é?"
"Pode colocar de volta no viva-voz", Esohe ordenou. Toquei de má vontade o botão de alto-falante.
"Estou tentando descobrir como fazer um teste de *maternidade*."
"Olha, *isso* é interessante. Mas, pra ser honesto, agora não é hora pra isso. Os laboratórios aqui estão sobrecarregados testando o vírus. Um teste de maternidade teria bem pouca prioridade. Minha sugestão seria esperar a pandemia passar e aí fazer o teste."
"E onde se faria o teste, depois que isso passar?"
Ele deu o nome de alguns lugares, que eu gravei no *app* de notas do celular. Na despedida, ele me informou que ia querer ouvir a história completa depois que tudo isso tivesse passado. Eu sorri. A fome de fofocas não tinha diminuído.
"Talvez a gente devesse tentar ligar pra um hospital?", tia Bidemi sugeriu.
Ligamos para três hospitais e a resposta que recebemos, no geral, foi: não era hora de estar atrás de um teste de maternidade. Esohe estava andando de um lado para o outro.
"E agora?", ela perguntou.
"Olha, infelizmente os hospitais e laboratórios estão sobrecarregados. Então acho que o melhor que a gente pode fazer é tentar conviver em um mínimo de harmonia, até termos a chance de fazer o teste. Afinal de contas, nenhum de nós vai sair daqui nos próximos dias."
Ela parou de andar só para grunhir e bater o pé, e foi embora.

IX

Passei o resto do dia no meu quarto. Liguei meu *laptop*, assisti "A Plataforma" na Netflix, e aí fiz uns *freelas* de contabilidade para uma empresa que claramente logo teria que declarar falência. Eles não seriam os primeiros nem os últimos. O *lockdown* tinha acabado com vários negócios.

Não saí do quarto até a noite, quando a eletricidade foi cortada de novo. Fechei meu *laptop*, acendi a vela e fui até a sala de estar. Tia Bidemi estava alimentando o bebê. Ele parecia estar tranquilo. Esohe não estava na sala.

"Você deve estar com fome', tia Bidemi comentou, levantando os olhos e sorrindo. "O jantar já está quase pronto."

"Obrigado. Mas na verdade eu queria te perguntar sobre o gerador."

Ela balançou a cabeça. "Ele superaqueceu. E ninguém está trabalhando agora, então não dá pra consertar."

Meus ombros pesaram. Eu tinha saído de um lugar iluminado e fresco e com sexo frequente, e vindo para... uma casa com pé direito baixo, poeira, mofo e tapetes a perder de vista. E agora não tinha nem um gerador. O calor ia ficar grosso que nem um cobertor, e à noite os mosquitos atacariam.

"Ele dormiu", ela disse baixinho, interrompendo meus pensamentos. Eu a assisti colocar o bebê no berço delicadamente. "Pode ir pra sala de jantar, Bambi, vou ver a quantas anda o ensopado."

"Você não tem ninguém aqui pra te ajudar?"

"Não. Somos só nós."

"Mas e os empregados?"

"Nem fale deles, a maioria foi embora quando... quando seu tio ficou doente."

"E os outros?"

"Oi?"

"E os que não foram embora. O que aconteceu com eles?"

Ela suspirou: "O *lockdown* aconteceu. Eles queriam ficar com as famílias deles." Abriu a porta, esperou eu sair da sala, e a fechou logo que passei. Ela sumiu para dentro da cozinha e eu percebi que ela tinha deixado a porta aberta. Entrei na sala de jantar e ela foi para a cozinha.

Esohe já estava na sala de jantar. Ela não olhou para mim, mas consegui sentir a raiva dela na dureza de sua expressão. Ela tinha um rosto angular, cheio de pontas e ossos duros.

"E aí."

Ela endireitou a coluna, cruzou os braços e pareceu estar esperando eu dizer mais alguma coisa. Estava vestindo uma camisetona que ia até os joelhos. Não pude deixar de me perguntar se estava usando shorts por baixo. As tranças dela caíam pelos ombros e descansavam em cima da mesa. Pensei no que mais eu poderia dizer.

Tia Bidemi entrou carregando um prato de comida e me levantei para ajudá-la. Esohe estava ocupada demais se servindo de vinho. Ela não encheu nenhuma outra taça. Quando estávamos todos sentados, nos servimos em silêncio. Só se ouvia o som dos talheres na porcelana. Elas não disseram nada uma para a outra, então eu fiquei no meio das duas, passando os pratos.

Dei uma garfada de arroz, e mais uma, e mais uma, uma atrás da outra. Mas quando comecei a mastigar, senti alguma coisa dura nos meus dentes, uma coisa desagradável. Cuspi o arroz na minha mão. Tinha areia na comida. Segundos depois, tia Bidemi fez o mesmo.

"O que aconteceu?", Esohe perguntou. Ela aproximou o rosto do próprio prato, remexendo a comida com o garfo. "Espera... o que é isso aqui?"

"Nos diga você, Esohe", tia Bidemi disse em uma voz perigosamente baixa.

"Quê? Como... eu não fiz nada!"

"Então foi algum espírito?!", tia Bidemi sugeriu.

Esohe me olhou, implorando. "Bambi... *você* não acha que eu..."

Interrompi a pergunta: "Por que você não tinha comido?"

"Eu ia comer! Eu não enfio a comida correndo na boca que nem vocês."

Tia Bidemi se levantou, empurrando a cadeira para o chão. "Pra mim chega!", ela gritou. "Esohe, eu quero que você vá embora. Por favor, arrume as suas coisas e vá embora."

Esohe arregalou os olhos. Ela parecia surpresa por estar sendo expulsa, o que era estranho, considerando a situação em que elas estavam. Fiquei olhando a boca de Esohe abrindo e fechando. Mas aí ela estreitou os olhos e inclinou a cabeça para um lado. Nós ficamos esperando ela dizer alguma coisa. E, finalmente, ela disse:

"Não."

"Quê?"

"Eu não vou pra lugar nenhum. Na verdade, essa casa pertence a mim e ao meu bebê agora. Foi um presente que o Folu deixou pra nós."

Foi por pouco que eu consegui segurar tia Bidemi para ela não pular na Esohe, e talvez se eu não estivesse segurando minha tia, eu mesmo tivesse pulado nela. Quem ela achava que era?! Mas Esohe nem piscou. Levantou devagar, jogou as tranças para trás e saiu do cômodo. Senti o corpo da tia Bidemi tremendo. Ela estava chorando.

"O que eu fiz pra merecer isso?"

Nada. Somos todos animais que agem de acordo com sua natureza.

X

No fim, tive que me virar com umas fatias de pão.

Parecia que eu estava na casa há seis meses, mas ainda era só meu primeiro dia no velho bangalô. E apesar de já ser quase meia-noite, o galo estava cantando de novo. Espiei pela janela do meu quarto, que me dava uma vista de parte do quintal, mas não consegui localizar o bicho barulhento. Ia ter que perguntar sobre ele de manhã.

Deitei na minha cama e fiquei olhando para o escuro. Pensei em Mide e em como ela devia estar confortável na cama *king*. Mas talvez ela também estivesse se sentindo sozinha. Ela ainda não tinha vindo falar comigo; mas viria, mais cedo ou mais tarde.

Bem quando eu estava de boa imaginando o que Mide estava usando para dormir – será que estava quente o bastante para ela dormir pelada? –, o rosto da Esohe apareceu na minha mente, destruindo meus pensamentos. Lembrei de como ela estava com o olhar desesperado quando disse que o bebê era dela. Mas eu tinha visto tia Bidemi e sua barriga germinando e o brilho que ela exalava. Esohe com certeza ia dar mais dor de cabeça do que merecia se continuasse morando com a gente. Eu ia ter que falar com ela sobre isso de manhã.

Tentei dormir, mas os mosquitos estavam implacáveis. Eu estava quase caindo no sono e aí ouvia o zunido de um deles e meu corpo acordava em um pulo. A casa estava em completo silêncio – exceto pelo galo cantando quase sem parar, o arrastar dos lençóis, os zunidos dos mosquitos; e agora, o choro. Ouvi Remi berrando e o som foi como milhares de agulhas sendo enfiadas nos meus ouvidos.

Pulei da cama. Eu tinha tido muito pouco contato com bebês, mas dava para saber quando um animal estava sofrendo.

Mas quando tentei a maçaneta, ela não girou. Não era hora para a casa causar problemas com suas dobradiças enferrujadas e madeira dilatada. Sacudi a porta. Não estava com a paciência que normalmente teria. Gritei chamando tia Bidemi, e depois Esohe, mas ninguém veio.

Tentei a porta de novo, dessa vez empurrando mais forte. Era possível que eu estivesse trancado dentro do quarto? E por que ninguém estava aquietando o bebê? Eu estava ouvindo as duas agora, as duas mulheres, as vozes alteradas, mas o choro não havia parado. Gritei de novo, mas, mais uma vez, ninguém veio. Minha paciência se esgotou: joguei meu corpo contra a porta e ela se abriu, soltando farpas.

Quando finalmente cheguei ao quarto da tia Bidemi, o choro de Remi estava ainda mais desesperado. Abri a porta.

O quarto estava escuro, exceto pela vela que brilhava em cima da cômoda. Ainda estávamos sem luz. Tia Bidemi estava segurando o bebê bem forte, e Esohe parecia estar tentando afrouxar os braços da mulher mais velha. Estavam lutando com o bebê entre elas. Atravessei o quarto e tirei o bebê dos braços da minha tia.

Tinha alguma coisa molhada e escura no rosto dele. Era sangue, quase preto à luz da vela. Me senti tonto, mas consegui não largar o bebê.

"Bambi, ela...", Esohe começou.

"Nem começa", eu disse. Passei meu dedão gentilmente na bochechinha dele, limpando o sangue. Mais saiu imediatamente dos cortes em sua pele. "Nenhuma de vocês pensou em limpar esses cortes?"

As duas ficaram em silêncio.

Segurei o corpinho dele bem perto do meu e fui até o banheiro. As mulheres me seguiram em silêncio. Peguei o kit de primeiros-socorros de dentro do armário que ficava em cima da pia e comecei a limpar os cortes no rosto do bebê, que chorava. Agora eu pude ver as marcas mais de perto. Alguém tinha feito três cortes retos nos dois lados do rosto dele, mas não com intenção de machucá-lo. Eram marcas étnicas.

Mesmo assim, senti minha raiva transbordando. A gente não fazia essas coisas na nossa família. Eu achei que ninguém mais fazia isso. E isso faria as pessoas julgarem o menino antes até de conhecê-lo. Ele não merecia uma coisa dessas. Limpei as lágrimas dele com meus dedos. Ele estava meio febril e parecia muito indefeso.

"Qual de vocês fez isso?"

"Foi ela", Esohe disse. "Foi ela que fez."

Tia Bidemi cruzou os braços. "Ele é meu filho. Na minha família, nós..." Ao menos ela tinha economizado meu tempo e admitido. Mas a voz dela estava me dando nos nervos.

"Eu não estou nem aí pro que fazem na sua família. Você casou e agora faz parte *desta* família. Você segue as *nossas* regras."

Achei que tia Bidemi fosse protestar. Mas foi Esohe que falou.

"Viu? Ela é doida. Olha como ela estragou o rostinho do meu bebê."

"Não está estragado", retruquei. Estava cansado das duas e só queria dormir.

"Ela não tinha o direito de fazer isso. Não tinha o direito!"

O bebê ainda estava chorando baixinho. Fiz o que pude para acalmá-lo. Balancei seu corpinho delicadamente.

"Alguém me traz a mamadeira", pedi.

Tia Bidemi saiu do quarto.

"Bambi...", Esohe começou.

Fiz um sinal de aviso. "Pode parar. Não me interessa. Se você vai ficar aqui, melhor calar a boca." Ela sentou no vaso e não disse mais nada. Quando tia Bidemi voltou quinze minutos depois, trazendo a mamadeira, Remi estava bem mais calmo. Ele parecia gostar quando eu o balançava ritmicamente de um lado para o outro; segurava meu dedo com sua mãozinha. Ele tomou o leite avidamente.

"Não era minha intenção machucar o menino", tia Bidemi sussurrou. Ela estava com as mãos nas costas e dava para ver que estava entrelaçando os dedos. Eu quase tive vontade de confortá-la, mas quando abri a boca, as palavras que saíram foram:

"Mas machucou."

Saí do banheiro com ele ainda no colo, bem quando a eletricidade voltou e luz inundou a casa. Pelo menos, tanta luz quanto o bangalô permitia – algumas lâmpadas tinham que ser trocadas. Mas ao menos a gente conseguia ver o caminho até meu quarto, e eu poderia ligar o ar-condicionado.

"Deixa eu colocar ele no berço", tia Bidemi veio atrás de mim. "Está no meu quarto."

Olhei para o bebê, que agora estava dormindo.

"Hoje ele vai dormir comigo."

XI

Fiquei deitado no escuro, escutando a respiração leve de Remi ao meu lado. E se eu rolasse e acabasse sufocando o bebê? E se *ele* rolasse e caísse da cama? Eu não o tinha visto rolar, mas só porque eu não tinha visto, não quer dizer que não poderia acontecer. Eu estava achando incrível ele *conseguir* dormir. O galo estava cantando alto, noite adentro. Mas olhando pela janela eu não conseguia ver o animal.

No fim das contas, acabei desistindo de dormir. Me sentei devagar para não incomodar o bebê e liguei para minha irmã. Ela atendeu bem quando eu estava prestes a desligar.

"Vocês podem calar a boca?! A mamãe está no telefone. E aí, Bambi, o que está rolando? Como você está?"

"Estou bem. Estou ficando no bangalô."

"Ah! E como vai a tia Bidemi? Ela está bem? Não consigo nem imaginar como é perder um marido!"

"Acho que ela está... conseguindo lidar."

"Jesus! Ela é forte. E como está o bebê? Ele é lindo demais, né?"

"Espera. Você viu fotos?"

"Sim. Ai, Jesus, essas crianças estão me tirando do sério. O que que eu tinha na cabeça quando decidi ter quatro? No que que eu estava pensando?"

"Bukky, presta atenção. Você disse que viu uma foto do bebê."

"Sim. A tia Bidemi me mandou um anúncio quando teve ele. É uma pena que ela não pôde fazer uma cerimônia de nomeação. Mas são os tempos que estamos vivendo, parece. Soji, vem dizer oi pro seu tio. *Oi, titio Bambi!*" Virei os olhos. Ela estava fazendo voz de criança agora e falando pelo filho. Era por causa desse tipo de coisa que eu não ligava com mais frequência.

"Olha só, você pode me ajudar a encontrar essa foto?"

"Pra quê? Diz oi, titio Bambi. *Oi, titio Bam-bi.*"

"Só me manda a foto, por favor." Encerrei a conversa o mais rápido que pude e desliguei. A paz, novamente, reinou.

Olhei mais uma vez para Remi. Ele *era* bem fofinho. No futuro, ia deixar uns quantos corações partidos. Coloquei um travesseiro de cada lado do bebê, estiquei meu *blazer* no chão, deitei em cima dele e fechei os olhos. O galo cantou de novo.

XII

Na manhã seguinte, quando devolvi Remi para a mãe, eu estava mais calmo. Sabia que ela não tinha tido intenção de machucar o filho. E era óbvio que ela nunca tinha feito cortes assim em ninguém – os cortezinhos estilo Naruto eram superficiais demais para deixar uma marca permanente no rosto dele. Em alguns meses, não haveria nem sinal da obra dela. Mas não comentei isso com ninguém.

Tia Bidemi estava na sala de estar, e dava para ver que tinha chorado – ficava fungando e tinha o rosto inchado. Ela pegou Remi dos meus braços com avidez, e eu endureci meu coração.

"Se", eu disse, "se você fizer alguma coisa assim de novo..."

"Bambi, eu sei que você quer ajudar, mas eu sou sua tia e mãe do Remi. Você não pode falar desse jeito comigo."

"Então se comporte como alguém que tem noção das coisas."

"Qual é a sua?" Ela começou a chorar de novo. "Eu já não aguentei o bastante, você precisa me desrespeitar, ainda por cima?!"

"Ok. Está bem. Eu... Me desculpa. Estou pensando no bebê."

"Eu também estou pensando nele!"

Levantei as mãos em sinal de rendição e deixei Remi com ela. Decidi sair à procura do galo. Andei pelo jardim respirando o ar fresco e o cheiro de mangas podres. Espiei embaixo de alguns arbustos, me perguntando onde um galo se esconderia. Escutei um farfalho perto de umas árvores nos fundos da propriedade. Me enfiei no meio das árvores e encontrei Esohe tranquila, encostada em um dos troncos, fumando um beque. Ela levantou uma sobrancelha e me ofereceu o beque. Considerei não aceitar, mas só por um segundo. Ela estava usando um vestidinho preto que era uns dois centímetros curto demais e um colar de contas tradicionais no pescoço. Senti o gosto dos lábios dela no baseado. Fumamos sem dizer nada, mas eu sabia que o silêncio não ia durar para sempre.

"Eu sei que você sabe que o bebê não é dela."

Dei mais três tragadas antes de responder. "Eu não sei de nada."

"O útero dela é velho. Só engravidar já foi sorte."

"Pode parar."

Olhei melhor para ela. Seus olhos estavam vermelhos, os lábios inchados, e de vez em quando eu sentia o corpo dela tremer. Ela não estava bem. Precisava daquele beque bem mais do que eu. Devolvi o cigarro para ela.

"Você não pode me ajudar, em nome dos velhos tempos?"

"Eu não te conheço tão bem assim, Esohe."

A resposta dela foi uma cuspida no chão. "Você é um cuzão."

"É o que dizem."

Ela saiu com raiva, e foi só quando ela já estava quase na porta que eu me lembrei que precisava encontrar o galo.

"Ô!" Eu chamei. "Tem um galo que não para de cantar. Onde ele fica?"

Ela nem se deu ao trabalho de me responder. Bateu a porta quando entrou.

Sozinho, de novo. Já que o galo parecia estar se escondendo de mim, decidi fazer uma meia hora de exercício físico. Senti o calor do sol nas minhas costas enquanto baixava meu corpo até o chão e o levantava. Fazia tempo demais desde a última vez que tinha exercitado meus músculos, e eu estava sentindo o esforço. 11, 12, 13. Esvaziei a cabeça e tentei me concentrar na brisa suave. 20, 21, 22. O cascalho começou a perfurar minhas palmas e logo fiquei com dor, então mudei para polichinelos. A outra opção seria voltar para dentro de casa, mas era lá que as mulheres estavam.

Me levantei quando ouvi o galo cantando de novo. Andei até o corredor que ficava na lateral da casa e desci os três degraus. Lá estava o bicho, mexendo o pescoço e dando um passeio. Eu não saberia dizer o porquê, mas foi bom vê-lo ali, andando e cacarejando; mesmo que não houvesse motivo para ele estar fazendo barulho às 13h05.

Eu não tinha um plano para quando o encontrasse. Tudo que sabia é que queria que ele parasse de cantar. Eu ia ter que fazê-lo parar. Mas agora eu compreendia como minha irritação era descabida. Era um animal preso à sua natureza; ele não conseguiria parar, mesmo que tentasse. Não ia parar até morrer.

Busquei uma fatia de pão e a esmigalhei em pedacinhos para o galo. Ele se aproximou de mim sem nem um pingo de medo. Era impossível saber se isso era um traço de sua personalidade, ou se, talvez, fosse o fato dos humanos estarem dentro de casa há meses que tinha o deixado corajoso. Afinal de contas, esses bichos não eram conhecidos por terem boa memória.

Ele pausou sua missão de informar a hora ao mundo e fez seu intervalo de almoço; passamos um tempo juntos em silêncio. Enfiei um pedaço de pão na boca. Me perguntei de onde ele tinha vindo e por que tinha escolhido parar aqui. O jardim não tinha quase nada. A grama já não crescia como em outros tempos, e ninguém tinha se importado em investigar o porquê. Meu avô não tinha passado seu amor por plantas para o resto da família.

O galo cacarejou para mim. As migalhas de pão tinham terminado. Cacarejou de novo. Aparentemente, nossa tranquilidade compartilhada havia terminado. O animal estava batendo as asas na minha direção e dava para perceber que estava prestes a me atacar, então me levantei. Tudo certo; nossa amizade havia se formado por causa da comida, então fazia sentido que a comida também fosse o motivo de seu fim.

Voltei para dentro de casa.

XIII

Eu queria ver como o Remi estava, então bati na porta do quarto da tia Bidemi e entrei quando ela respondeu.

Ela estava sentada num banquinho, cantarolando, um seio de fora. Ele era enorme e parecia pesado; estava marcado por veias saltadas entrecruzadas. Aqueles peitos eram grandes o bastante para sufocar um homem adulto, imagina um bebê. Ela nem fez menção de se cobrir com um pano.

"Opa, desculpa", eu disse, me virando para não olhar para ela. "Eu não sabia que você estava... Eu não sabia que ele era... amamentado."

Ela riu. "Bambi, não seja infantil."

Me virei para ela, mantendo meus olhos bem longe da área dos peitos. Ele estava tomando mamadeira desde que eu tinha chegado na casa. Não tinha me ocorrido que ela pudesse estar amamentando o bebê também. Mas ao menos ele estava comendo. Eu, por outro lado, estava morto de fome. Mencionei isso para tia Bidemi.

"Você sabe onde fica a cozinha, não sabe?"

Eu ri: "Ué, eu não era 'visita'?"

"Como você pode ver, estou ocupada."

Tia Bidemi obviamente ainda estava irritada comigo. E dava para ver pela expressão dura em seu rosto que ela ia ser bem teimosa com esse negócio de comida. Pensei em Esohe, mas ela provavelmente estava brava comigo também.

Passei os primeiros quinze minutos na cozinha tentando adivinhar onde ficavam as coisas. O bangalô não estava envelhecendo bem. As gavetas estavam emperradas, a tinta estava descascando nas portas, e tive que tentar algumas vezes antes de conseguir fazer o fogão elétrico funcionar.

Peguei ovos na geladeira e os quebrei em uma tigela enquanto olhava pela janela da cozinha. O galo estava marchando pela entrada da garagem e Esohe apareceu no meu campo de visão. Me perguntei se ela estava indo fumar outro baseado.

Eu tinha acabado de pegar o sal e, por acaso, olhei de novo pela janela. Esohe estava parada bem na entrada da garagem, segurando o galo de cabeça para baixo. Larguei os ovos no chão e praticamente arranquei a porta da cozinha ao abri-la.

"Não, espera!", gritei, mas era tarde demais. Ela já havia passado uma faquinha na garganta do animal, abrindo seu pescoço. Ela largou o galo e nós assistimos seu corpo se debater de um lado para o outro. Sangue jorrou de seu pescoço, manchando o chão. Demorou tempo demais para ele perceber que tinha morrido. Não sou vegetariano, mas me senti enjoado. "Qual é o seu problema, hein?"

"Você não notou que não tem mais proteína em casa?"

"Mesmo assim..."

"Mesmo assim *o quê?*" Ela ficou me olhando e balançou a cabeça lentamente. A faca ainda estava segura em sua mão. "Era só um frango. Vê se cresce, *abeg.*"

XIV

O jantar foi arroz com frango.

Fiquei cutucando o frango no meu prato. Sabia que estava sendo infantil, mas era difícil não ser.

"Você está bem?", tia Bidemi perguntou. "Você não tinha dito que estava com fome?"

Levantei os olhos. Esohe já tinha limpado o prato. Não tinha areia na comida hoje e as duas mulheres não haviam brigado até então, mas, mesmo assim, eu estava me sentindo para baixo.

"Estou bem."

"É sério que você vai agir que nem criança por causa de um frango? Posso vomitar ele pra você." Quanto mais tempo você passava com a Esohe, menos atraente ela ficava. O que é que o tio Fulo tinha na cabeça?

"Aquele frango foi um presente", tia Bidemi acrescentou. "Se a gente não tivesse comido, outra pessoa comeria."

"Bom, ainda bem que estamos todos de acordo", respondi.

"Se você não vai comer seu frango, pode passar pra cá", Esohe disse, virando o pescoço na minha direção.

O pescoço dela era comprido e fino; me fez pensar no pescoço do galo. Para onde ia tudo que ela comia? Empurrei meu prato e me levantei. "Ok", eu disse. "Pode pegar. Já terminei. Vou ver o bebê."

"Não!" Esohe disse. "É minha vez de cuidar do Omoregbe!"

"Remi, você quer dizer", tia Bidemi rosnou.

"O nome dele não é esse. Ele se chama Omoregbe." Parei no meio do caminho. Se essas duas decidissem se atacar e se matar, eu é que ia ser obrigado a limpar a bagunça depois. E eu já tinha visto sangue que chegava naquele dia.

Tia Bidemi riu: "Esse nome não é iorubá."

"Eu não sou iorubá."

"E o que isso importa? O Remi é iorubá."

"Eu e o Folu concordamos..."

Tia Bidemi bateu as mãos com força, como se estivesse esmagando um mosquito entre as palmas.

"Não diga o nome dele! Não ouse dizer o nome dele!"

"Eu tenho meus direitos!" Esohe gritou.

"Direitos? Que direitos você tem? Você era só a puta do meu marido!"

Com isso, as duas jogaram as cadeiras para trás e se levantaram, se encarando, uma de cada lado da mesa. A mão forte e hábil de Esohe agarrou um garfo, e Bidemi segurou a garrafa de vinho como se fosse um taco.

Coloquei minhas mãos nas costas de uma cadeira e disse, calmamente: "Senhoras. Escutem. Eu vou matar a primeira que fizer qualquer movimento, não importa qual das duas for. Entendido?" Os corpos delas estavam engatilhados para atacar, mas não se mexeram. Estavam me olhando, esperando para ver o que mais eu ia dizer. "Ok. Vejam bem. A gente vai fazer o seguinte: vocês vão se revezar pra cuidar do bebê até essa porcaria de *lockdown* terminar. Uma de vocês fica com ele de manhã, a outra, de tarde." Foi aí que a imagem da tia Bidemi segurando Remi com a cara ensanguentada, e outra imagem de Esohe cortando a garganta do galo, apareceram na minha mente. "E à noite eu vou cuidar dele."

As duas mulheres baixaram as armas e as colocaram na mesa. Ambas estavam com um sorrisinho no rosto. "Você?" tia Bidemi perguntou. "Bambi, e você sabe o quê sobre cuidar de bebês? Só porque você passou uma noite com ele, não quer dizer que..."

"Eu aprendo."

XV

O mundo fora do meu quarto estava em silêncio. Nenhum galo cantando. Fiz barulhos com a boca e Remi gorgolejou. Ele já tinha sido alimentado e estava com a fralda limpa, mas não dormia. Deitei ao lado dele, balançando minha correntinha para ele tentar pegar. Com minha mão livre, fiquei mexendo no celular e tentando descobrir o que estava acontecendo fora do velho bangalô. Nada de bom. Por exemplo, Mide estava me mandando indiretas via *tweets*.

Nunca aceite qualquer coisa.
Só porque um homem é bonito por fora, não quer dizer que ele é bonito por dentro.
Se traiu uma vez, vai trair de novo.

Dei *like* em todos os *tweets*.

Vi que minha irmã também tinha tuitado umas fotos dos filhos dela. Isso me lembrou que ela ainda não tinha me enviado a foto que tia Bidemi tinha mandado para ela quando o bebê nasceu. Liguei para ela.

Ela parecia mais calma quando atendeu o telefone. "Tia Bidemi disse que você está ficando na casa dela."

"Eu te disse isso quando a gente conversou."

"Ah. Sério?"

"Sim, disse." Tentei não me irritar com ela. Foi um lembrete para mim mesmo de que toda mãe é desequilibrada. "Você pode me mandar aquela foto que a tia Bidemi te mandou?"

"Que foto?"

Bufei. "A foto que ela mandou do bebê."

"Ah, sim. Ele é muitoooo fofinho."

"Ótimo! Será que você podia..."

"Funso, se você não voltar pra cama agora, eu juro por tudo que há de mais sagrado que vou te dar uma surra e só vou parar quando o mundo acabar... Desculpa, Bambi, você estava dizendo o que mesmo?"

"A foto, você pode me mandar?"

"Pra que você quer isso?"

"Eu quero... confirmar que o bebê é dela."

"Oi? E de quem mais seria o bebê?"

Hesitei por um segundo, e aí soltei um suspiro. "A namorada do tio Folu está aqui."

"Você está falando sério?"

"Aham."

"E por que vocês não correm com ela daí?"

"Porque o bebê pode ser dela."

Ela riu.

"Você não está fazendo sentido... Bambi, você está chapado?"

"Não. Não estou chapado. Me manda a foto."

"A tia Bidemi não ia dizer que o bebê é dela se não fosse. Ela já passou por muita coisa, Bambi. Não piore as coisas."

"Você vai me mandar a foto ou não?"

Ela suspirou. "Vou ter que procurar. Mas você tem que parar com essas suas teorias malucas. Ok?"

Pensei em desligar na cara dela, mas já que eu precisava que ela me fizesse um favor, fechei a boca e escutei as atualizações – novidades sobre como era o Airbnb, quanto tempo talvez demorasse até eles poderem entrar no país de novo, novas teorias da conspiração sobre o vírus, como ela estava conseguindo fazer os filhos comerem salada, etc. etc. etc. Remi já tinha caído no sono quando finalmente consegui sair do telefone.

XVI

Abri meus olhos. Tinha alguma coisa errada.

Remi estava lá, o peito subindo e descendo. Ele estava seguro. Mas alguém tinha estado no quarto com a gente. Eu tinha bastante certeza que alguém tinha ficado pairando bem em cima de nós. A sombra da pessoa tinha adentrado meu sono. Mas quando abri os olhos, ela não estava mais lá.

Acendi a luz e examinei o quarto. Meu *laptop* ainda estava na escrivaninha, junto com meu celular; minha mala estava aberta no chão, as roupas saltando para fora, e meus sapatos estavam alinhados bem certinho contra a parede. Talvez uma das mulheres tivesse entrado no quarto, já que o bebê estava ali. Mesmo que eu quisesse me trancar, não poderia: tinha quebrado a porta na noite anterior. Agora ela praticamente nem fechava. Ainda assim, nada parecia estar fora do lugar. Comecei a relaxar – talvez tivesse sido um sonho, no fim das contas.

Ouvi um grito. De novo. Parecia tia Bidemi. Considerei brevemente levar Remi comigo para ver o que estava acontecendo agora, mas ele podia acabar acordando. Ajeitei os travesseiros que estavam dos dois lados dele e saí do quarto. Tia Bidemi estava no corredor que ficava entre a sala de estar e a sala de jantar. Ela não estava mais gritando, mas mesmo à distância eu podia ver que ela estava tremendo.

"O que aconteceu?"

Ela apontou para a parede. Havia faixas desiguais de vermelho escuro riscando papel de parede azul e branco, como se feitas pelas mãos de alguém. Parecia sangue; tinha cheiro de sangue. Me senti tonto.

"Aquela menina é uma bruxa", rosnou. Ela se aproximou e agarrou minha regata, mas eu a empurrei para longe e coloquei a cabeça entre os joelhos, respirando fundo para me acalmar. Eu não me dava muito bem com sangue.

"O que a gente vai fazer?" tia Bidemi sussurrou. "Eu não me sinto segura."

Bem nesse momento, a luz caiu. Estávamos no breu novamente, sem lanternas nem velas. "Fica aqui", disse para tia Bidemi. Fui cambaleando pelo corredor, ainda tonto, minha mão correndo as paredes para me guiar no escuro. Precisava voltar para o Remi.

Quando alcancei a porta, vi a silhueta de Esohe ao lado da minha cama. Ela estava de costas para mim.

"O que você pensa que está fazendo?" Ela se virou lentamente para mim. O bebê estava em seu colo. Eu não conseguia ver seus rostos.

"Escutei todo aquele barulho e vim ver como o Omoregbe estava."

"Pode passar ele pra mim."

"Fica calmo, eu só..."

"Eu disse pra me dar o bebê."

Ela hesitou, mas me entregou a criança. Ela não teria conseguido passar por mim; meu corpo bloqueava toda a porta.

"Qual é a sua? Eu só estava vendo se ele estava bem."

"Você é doente. Você é uma pessoa muito doente. E eu não quero saber de você perto dele."

"Isso é por causa do frango de novo?"

"Volte pro seu quarto."

"Mas..."

"Já!" Ela me olhou feio e saiu do quarto me empurrando, nossos corpos se encostando brevemente. Fui atrás, o bebê no meu colo, até ela voltar para o quarto dela. "São vocês que são doentes", ela me disse, antes de olhar mais uma vez para Remi e bater a porta na minha cara.

Tia Bidemi ainda estava no corredor. Ela estava com várias velas e um balde de água perto dos pés. Estava esfregando a parede com uma esponja grande. Ela não merecia nada disso.

"Me desculpa", eu disse, parando ao lado dela.

"Você não fez nada", ela respondeu, se aproximando de Remi e lhe dando um beijinho.

"Não, mas... eu podia ter me esforçado mais pra fazer ela parar quando ela começou com essas bobagens."

"Eu tenho medo dela, Bambi."

"Eu te entendo."

"Nós temos que cuidar pra ela não fazer mal pro bebê."

"Olha, fique com ele agora; Pode... pode deixar que eu limpo o resto do sangue." Ela lavou as mãos no balde e as secou no avental; então, pegou o bebê do meu colo. Demorei uma hora a mais do que ela teria levado, provavelmente, mas limpei a maior parte do que eu acreditava ser sangue de galo. Bem quando eu estava terminando, a luz voltou, e as lâmpadas inundaram o corredor com uma luz alaranjada.

XVII

Era a vez de Esohe cuidar do bebê, mas eu não confiava nela. Deixei Remi com tia Bidemi – ela não era perfeita, mas não era ela que tinha pintado o bangalô com sangue.

Então, não fiquei surpreso quando ouvi uma batida, seguida de Esohe entrando silenciosamente em meu quarto.

Ela não estava com a melhor aparência. As tranças estavam soltas e quebradiças, e o rosto estava inchado – de tanto chorar, supus –, mas foi difícil me concentrar no rosto, porque ela estava vestindo só uma combinação transparente.

"O que é isso que você está usando?"

"Por favor", ela disse.

Ela se aproximou de onde eu estava: deitado na cama, só de cueca. Me afastei dela e fui para o outro lado da cama, mas isso pareceu encorajá-la a subir ainda mais.

"Esohe!" eu sussurrei. "O que você está fazendo?"

"Por favor, eu faço o que você quiser."

"A tia Bidemi pode entrar aqui a qualquer momento."

"Isso não tem nada a ver com ela. Isso é sobre a gente."

Ela passou a mão na minha coxa, escorregou um dedo pelo elástico da minha cueca. Meu corpo não teve como não responder. Minha maior manifestação de resistência não foi muito convincente: "Esohe. Pode parar agora."

"Você não era tão tímido ano passado."

Agarrei o pulso dela, segurando o braço onde estava, e esperei ela me olhar. "Achei que a gente tinha combinado que você nunca ia falar disso."

"É por isso que eu não disse nada. Você pode confiar em mim", ela disse, dando uma mordidinha na minha orelha.

Comecei a considerar a possibilidade. A gente podia terminar em dez minutinhos. Minha tia estava ocupada com o bebê; ela nem teria por que entrar aqui. Segurei o queixo de Esohe, a puxei para perto e a beijei. Os lábios dela eram familiares, macios.

"Viu?" ela gemeu. "Nós nos damos bem, você e eu. A gente não devia brigar tanto. Devíamos trabalhar juntos."

Eu a beijei de novo, colocando as mãos nas coxas dela, levantando a barra da combinação.

"A gente pode ser uma família, sabe – eu, você e o bebê."

O desejo desapareceu instantaneamente. Eu a empurrei para longe.

"É por isso que você está aqui?"

Ela deu de ombros. Eu estava ofendido. Quem essa mulher achava que era? Eu tinha dormido com muitas mulheres na vida, e todas tinham consentido. Mais do que consentido. Eu nunca tinha precisado pedir ou implorar, com nenhuma. E essa mulher pensava que eu daria um bebê para ela, um bebê cuja segurança estava obviamente ameaçada, só porque ela estava me oferecendo um momento de prazer?

"Sai daqui."

"Mas, Bambi..."

"Você é surda? Ou é só idiota? Eu disse pra você sair daqui!"

"Eu não sabia que você era cruel desse jeito", ela retrucou, levantando da cama.

Bateu a porta ao sair.

Sentei na beirada da cama e massageei minhas têmporas. Eu tinha certeza que logo ia estar com dor de cabeça. Ao meu lado, o celular vibrou. Parou, e aí começou de novo. E de novo. Me rendi e olhei a tela: era a Mide. Uma sementinha de esperança nasceu em mim. Parecia já fazer uma vida desde a última vez que eu tinha dormido uma noite inteira, tranquilo e em paz no quarto fresco, ela pelada ao meu lado. Talvez ela estivesse ligando para me oferecer o paraíso.

"Oi..."

"Sua carteira", ela disse.

"Oi?"

"Você deixou aqui."

"Ah."

Minha esperança secou; a decepção foi avassaladora. Como ela tinha coragem de me provocar ligando sem parar? É verdade que eu não via minha carteira há dias, mas ela não me servia de nada no momento, e eu tinha aceitado que, mais cedo ou mais tarde, ela apareceria.

"E o que que você quer que eu faça agora?" retruquei. "Você quer que eu arrisque pegar o vírus indo até a sua casa e voltando pra cá depois?"

O tom que eu usei deve ter sido uma surpresa, porque ela ficou quieta por uns segundos.

"Só queria te informar onde estava."

"Ok, valeu", e desliguei.

XVIII

Eu precisava desesperadamente de um café, mas o velho bangalô não tinha esses luxos. Teria que me contentar com uma cerveja. A caminho da cozinha, ouvi batidas e sons estridentes vindo do quarto de Esohe. Continuei no meu caminho. Ela estava obviamente surtando e eu não queria saber disso. Quando cheguei na cozinha, peguei uma garrafa na geladeira e a abri no tampo do balcão. Dei um gole, esperando que o álcool ajudasse a acalmar minha irritação. Olhei pela janela da cozinha e assisti a palmeira balançando ao vento. Tomei mais um gole de cerveja.

Teria sido um momento de paz, não fossem os estrondos vindos do quarto de Esohe, preenchendo a casa toda.

"Você pode parar?!" Bati a mão na porta dela, a caminho do meu quarto.

"Aquela bruxa velha me trancou aqui!" Ela tentou a maçaneta pelo lado de dentro. Tentei também. Era verdade. Ela estava trancada. "Me ajuda!"

"Tem certeza que você não se trancou aí sem querer?"

"Eu nem tenho chaves pra essa porcaria!"

"Ok, ok. Mas pare. De. Gritar. Eu vou lá falar com ela."

Tia Bidemi estava dando um banho em Remi. Ela estava o segurando sentado com uma mão e o ensaboando com uma esponja. Remi estava começando a ficar com dobrinhas; ela ia ter que lavar entre elas. Ele parecia um lutador de sumô. Sentei na beirada da banheira, juntei um pouco de água com a mão e deixei cair na cabecinha dele. Ele me olhou e sorriu.

Aí virei para tia Bidemi. "Você trancou a Esohe no quarto?"

Ela não me olhou. Em vez disso, virou Remi de barriga para baixo e começou a ensaboar as costinhas dele.

"Sim", disse, enfim. "Ela é perigosa, Bambi."

"Mas você não pode deixar ela trancafiada."

"Temos que esperar ela fazer algum mal pro bebê, aí podemos trancar ela?"

Abri minha boca para responder, mas saiu um bocejo em vez de uma resposta. Aliás, o que eu poderia dizer? Não dava para discutir com o que tia Bidemi estava dizendo. Pensei na presença que eu tinha sentido no meu quarto na noite anterior, a que tinha me acordado. Talvez tivesse sido um sonho, mas talvez, não. Não era melhor prevenir do que remediar?

"Eu já devia ter mandado ela embora há muito tempo. Eu vi ela entrando no seu quarto. Aquela puta!"

Pigarreei: "A gente... eu... nós não fizemos nada."

"Eu sei. Eu fiquei esperando do lado de fora da porta. Ela só ficou lá alguns minutos. Você não é que nem o seu tio. Você é melhor que ele. Você não vai cair nos encantos dela."

Ela mergulhou a esponja na água novamente e passou na pele de Remi. Os gestos dela eram para ser reconfortantes, mas ela estava falando de um jeito tão amargo que eu quis arrancar o bebê das mãos dela. Ela o enrolou em uma toalha branca e beijou sua testa. Minha cabeça continuava latejando.

"Eu preciso de Paracetamol ou Nurofen ou algo do tipo."

"Olha na terceira gaveta, do lado da geladeira."

Voltei para a cozinha. Esohe estava quieta, sem dúvida esperando que eu a resgatasse. Encontrei os comprimidos na quarta gaveta, e também uma garrafa pequena de uísque do meu tio em cima do balcão. Peguei a bebida e o remédio e fui para o meu quarto.

XIX

Não demorou para Esohe perceber que não seria resgatada.

Eu estava na sala de estar com tia Bidemi e o bebê quando Esohe começou a berrar e gritar. Tia Bidemi nem piscou. Tentei fingir que os sons também não estavam me afetando. Virei as páginas da revista que havia pegado de cima da mesinha de centro. Esohe começou a esmurrar a porta novamente. Parecia que estava chutando a madeira. Minha tia bebeu seu chá.

"O Remi parece muito com você, sabia. O nariz dele é igual ao seu."

Eu estava começando a perceber isso. O nariz dele era igual ao meu, mesmo, e eu achava que a testa também. "É o nariz do meu avô", respondi.

"Ouvi dizer que conseguiram achatar a curva do vírus", ela comentou.

"Hmmm."

"Logo a vida vai voltar ao normal."

"Certo. Sim." não achei que era possível, mas Esohe começou a gritar ainda mais alto.

"Como vai aquela menina que você está namorando? Aquela com a pinta? Como era o nome dela, mesmo?" O nome dela não importava. A mulher a quem minha tia se referia era minha namorada retrasada.

"Terminei com ela."

"Ah é? Ok. Mas você devia começar a pensar em sossegar, logo mais. Encontrar uma moça legal e casar com ela."

"Preciso ir ao banheiro", disse.

Os gritos de Esohe ficavam um pouco mais abafados no meu quarto. Coloquei meus fones de ouvido, mas sabia o que ainda estava lá: os sons, do outro lado da música, esperando por mim assim que eu pausasse. Servi um dedo de uísque e estremeci ao engolir o líquido. Minha dor de cabeça só tinha aumentado. Eu precisava que ela parasse de fazer tanto barulho. Não entendia como tia Bidemi conseguia aguentar.

Esfreguei meus olhos. Já tinha perdido as contas de que dia era, do horário. Parecia que eu tinha estado a vida toda no velho bangalô. Se as mulheres continuassem desse jeito, elas iam me fazer envelhecer para muito além dos meus 28 anos. Eu precisava mostrar para Esohe alguma prova de que ela não era a mãe. Talvez, assim, ela passasse a se comportar normalmente.

Minha irmã não servia para nada; ela ainda não tinha me enviado as fotos. Liguei para meu cunhado. Nós não éramos próximos – não dava para esperar que eu fosse ser amigo de uma pessoa que torcia para o Arsenal –, mas a situação pedia uma solução drástica.

Ele atendeu no segundo toque e disse: "Ela já te contou?"

"Me contou o quê?"

"Ah. Deixa pra lá. E aí?" O jeito que ele tinha atendido me desestabilizou por uns momentos, mas eu não sentia tanta curiosidade assim sobre a vida da minha irmã. Se eles quisessem que eu soubesse o que quer que fosse, me contariam eventualmente. Eu esperava que ela não estivesse grávida de novo. Eles não conheciam nenhum anticoncepcional?

"Preciso da sua ajuda, cara."

"Estou quebrado agora, meu." Como se eu algum dia tivesse pedido dinheiro para ele. Respirei fundo e deixei o ar sair pelas narinas.

"Ué. *Eu* não estou quebrado. Preciso da sua ajuda com uma outra coisa. Tem uma foto do meu primo no celular da sua esposa. E minha tia está dizendo que quer organizar um álbum com todas as fotos dele desde que ele nasceu. Ela está me enchendo o saco com isso."

"Então pede pra Bukky,"

"Você sabe como é a sua mulher: ela diz que sim, aí as crianças precisam de alguma coisa e ela esquece todo o resto."

"Então até você nota isso. Eu sou casado com ela e estou

sempre precisando competir por atenção." Virei os olhos. Quando foi que homens adultos começaram a ver os filhos como rivais? Mas esse era o homem que ela tinha escolhido. Eu nunca ia conseguir entender. Tipo, ele torcia pro Arsenal. Era uma boa pista sobre o caráter do cara.

"Eu só preciso que você olhe o celular dela e me mande a foto. Só isso. Me ajuda a resolver essa história."

Ele concordou, mais para me fazer parar de encher o saco do que por qualquer outra coisa. Mas eu sabia que ele ia me mandar. Entre aqueles dois, minha irmã e meu cunhado, ele era o mais confiável.

Uma hora depois, meu celular vibrou. Ele tinha enviado as fotos. Vieram pelo WhatsApp da minha irmã, mas eu sabia que era ele que tinha mexido no celular dela e me encaminhado os arquivos. Eram três fotos. Uma era um ultrassom. As outras duas eram do bebê ainda recém-nascido. Os olhos dele estavam fechados e ele estava conectado a várias máquinas.

Eu não conseguia distinguir se era o Remi pelo rostinho. Tinha tido a esperança de conseguir diferenciá-lo pela marca de nascença amarelada na barriga, mas a foto estava mais focada no rosto do bebê, e estava meio borrada.

Além disso, eu nunca tinha conseguido fazer aquele truque que as pessoas fazem, em que elas olham para um bebê e dizem com quem ele se parece. Para mim, bebês eram todos iguais. Eles tinham olhos que estavam sempre fechados, não tinham sobrancelhas, quase não tinham cabelo. Eles nunca pareciam muito felizes de estar ali. Vinham em cores diferentes, mas só. E outra: Remi já era maior agora, já estava mais cheiinho.

Tinha uma data no ultrassom, mas eu não sabia se isso ia me ajudar a resolver qualquer coisa. Alguns bebês vinham antes do tempo, outros se atrasavam; isso eu sabia. Fazendo os cálculos, sim, o bebê no ultrassom podia ser o Remi. Mas também podia não ser.

Mesmo assim, a foto podia acabar sendo útil. Talvez só para assustar Esohe. Ou tia Bidemi. Tomei mais um gole de uísque direto da garrafa.

XX

Acordei em um pulo porque ouvi Remi chorando. E tinha alguma coisa errada naquele choro. Fui até o quarto da tia Bidemi e esmurrei a porta. Ela a abriu um minuto depois, vestindo um robe de seda vermelho. Estava aberto e eu conseguia ver um de seus seios pesados e cheios de veias. Queria que ela se cobrisse direito. O bebê estava adormecido em seu ombro.

"Ele está bem?"

"Por que não estaria?"

"Ele estava chorando..."

"Quê? Não estava, não. Ele está dormindo, olha."

"Eu ouvi. Eu ouvi ele chorando."

"Você está bem?", ela perguntou.

"Sim! Você tem certeza que ele não estava chorando?"

"Te parece que ele estava chorando?"

Ela o colocou na frente dos meus olhos. Ele não tinha como parecer mais tranquilo. E ainda assim, não consegui me acalmar.

"De qualquer maneira, sou eu que tenho que cuidar dele à noite."

"Está bem. Eu estou cansada mesmo." Ela o colocou gentilmente nos meus braços e bateu a porta.

O barulho da porta batendo acordou Remi e ele começou a resmungar assim que entramos no meu quarto. Fiquei andando de um lado para o outro para tentar acalmá-lo, mas ele estava resistindo. Eu ainda estava muito cansado. Não conseguia lembrar da última vez que tinha dormido uma noite inteira. Remi começou a chorar.

Cantei as cantigas de ninar que conhecia até ele se acalmar, aí levantei a bundinha dele até meu nariz. É, com certeza tinha alguma coisa desagradável acontecendo ali. Felizmente, eu agora tinha um estoque de fraldas no meu quarto.

Ele teve paciência enquanto eu tirava a roupinha dele. Sorriu para mim quando abri a fralda e soltei um gemido. O menino só tomava leite; eu não estava esperando tudo aquilo de merda?

Ele era quase todo bem marrom, e ficando mais marrom a cada dia. Mas a mancha amarelada na barriga permanecia da mesma cor. Parecia um pouco com o mapa da África. Eu disse para ele que era porque ele era descendente de reis.

Quando voltei para a cama com uma fralda limpa, Remi me recebeu com um jato de urina. Foi bem na minha boca.

"Obrigado", eu disse. "Xixi é exatamente o que está faltando na minha dieta."

Nos limpei com lencinhos e consegui passar talco e colocar uma fralda nova sem que ele fizesse xixi mais uma vez.

Esohe tinha começado a gritar de novo. Escutei a porta sendo sacudida, ela gritando e pedindo que nós a deixássemos sair. Ela já estava lá trancada há horas. Já devia estar exausta, mas não parava de gritar.

Remi me encarou com seus olhões escuros, como se precisasse que alguém explicasse o que estava acontecendo com ele. Eu sabia que ele estava ouvindo a Esohe; às vezes, ele se virava na direção do som. Abri meu *laptop* e deixei tocando umas músicas de um canal para crianças no YouTube, dançando de um lado para o outro para a gente se distrair.

Como estava afogando os gritos de Esohe com a música, demorei um tempo para perceber que minha irmã estava ligando.

"Alô?" Ela estava chorando. Fazia anos que eu não a ouvia chorar. O som fez meu estômago se revirar. "O que houve?"

"Por que você disse pra ele mexer no meu celular?"

"Disse pra quem... espera... o Tunde? Eu não disse pra ele mexer no seu celular. Era só pra ele me mandar a foto."

"Bom, ele mexeu. E encontrou umas fotos."

"Que tipo de foto?"

"Você sabe muito bem que tipo!"

"Por que você está gritando comigo?"

"Porque não era pra nada disso acontecer, se você não tivesse se metido."

"E como é que eu ia saber que você estava traindo seu marido?" Ao dizer isso, me perguntei qual era minha parcela de culpa pelas ações da minha irmã. Que tipo de exemplo eu tinha sido para ela, e o que aconteceria agora? Homens raramente perdoavam mulheres que traíam. Eu duvidava muito que eu perdoasse.

"Eu não estou traindo. Eu... eram só umas fotos. De mim. Eu só mandei uma. Eu não devia ter mandado nenhuma, mas entendi na hora que aquilo era um erro."

"E não deletou as fotos?"

"Nem todo mundo é profissional que nem você!"

Lembrei que Bukky não tinha nem ideia que eu tinha sido expulso da casa da minha namorada por causa de fotos e mensagens que tinha esquecido de deletar. Mas duvidava muito que contar isso para ela fosse ajudar.

"O que eu faço, Bambi?"

"Se acalma. Qual foi a reação dele?"

"Ele ficou gritando sem parar. E me trancou pra fora do quarto. As crianças estão magoadas e confusas. E Bambi, eu estou grávida. Eu não sei o que fazer." Eu não tinha uma mão livre para massagear a testa. Tentei sentar na cama, mas Remi resmungou. Ele obviamente queria que a gente continuasse de pé.

"Delete todas as evidências", eu disse.

"Eu acabei de te dizer que ele já viu."

"E ele vai acabar vendo de novo. Delete todas as fotos íntimas, todas as mensagens safadas, tudo que alguém possa interpretar de um jeito especial. Quando ele tiver se acalmado, você vai ter que minimizar o que ele viu. Ele não vai poder rever pra confirmar, então vai começar a duvidar das próprias lembranças."

"Você dá algum curso sobre isso?"

"Estou tentando te ajudar, Bukky." Ela ficou em silêncio, aí começou a chorar de novo. "Prometa que a partir de agora ele vai ter acesso livre ao seu celular. E, olha, se você achar que ele cairia nessa, você pode dizer que tirou as fotos pra ele. Ele não viu as mensagens, certo?"

"Não. Só as fotos."

"Ok, então você pode dizer que tirou as fotos pra ele, ou que foi só de bobeira; mas que você nunca teve intenção de enviar as fotos pra outro homem. Entendeu?!"

"Não sei se quero mentir, Bambi."

"Você é uma pessoa bem melhor do que eu, Buks. Sempre foi. Mas não acho que é hora de ser honesta."

"Você dá os piores conselhos."

"Você vai ficar bem?"

Ela fungou: "Acho que sim. Talvez."

XXI

Em seu segundo dia trancada no quarto, Esohe parou de gritar. Na verdade, já não havia nenhum som vindo do quarto. Bati na porta e chamei o nome dela. Nada. Ela com certeza ainda estava ali: não tinha outra saída. As janelas tinham grades de segurança – para deixar os ladrões para fora e Esohe para dentro.

"Ela está blefando", tia Bidemi disse quando fui perguntar onde estava a chave do quarto de Esohe. Ela estava lavando roupas, sentada em um banquinho, no quintal. A lavadora de roupas tinha quebrado. Estava com uma bacia gigantesca entre os pés e as roupinhas do Remi estavam boiando dentro dela. De vez em quando, ela pegava uma, jogava um pouco de sabão em pó nela, e a esfregava bem com as mãos. Ela pausava de tempos em tempos para limpar o suor da testa.

Não entendi por que ela estava escolhendo bem esse momento para lavar as roupas no quintal. Era a hora do sol mais forte. Eu estava lá fora há cinco minutos e já sentia o suor se formando nas minhas axilas.

"Não dá pra apostar nisso. Você deu alguma coisa pra ela comer?"

"Não."

"Tia Bidemi, me dá a chave."

"Eu estou pensando no bebê."

"Então seu plano é tratar a Esohe como prisioneira até o *lockdown* acabar?"

"Você concordou que ela é perigosa."

"Ela precisa de água e comida! Me dá a chave."

Ela deu de ombros e continuou lavando as roupas.

Saí e fui para o quarto dela, planejando desmontar tudo, se fosse necessário, mas quando cheguei lá, percebi que nunca encontraria a chave. Ela tinha pilhas e pilhas de roupas tradicionais dobradas no armário. A chave podia estar no meio de qualquer uma delas. Ou podia estar em uma das várias sacolas cheias de tralhas que ela tinha no quarto. E isso se ela tivesse deixado a chave no quarto. Eu levaria dias para vasculhar a casa toda. Fui forçado a voltar para o quintal de mãos vazias.

"O que eu posso fazer pra te convencer a me dar a chave?"

"Você gosta dela."

"Quê?!"

"Vocês homens agem que nem uns idiotas por causa de qualquer menininha."

"Ela é só três anos mais nova que eu, tia Bidemi. E eu não sinto nada por ela."

"Então deixa ela lá."

"Tia Bidemi, olha só. Eu vou abrir aquela porta. Então você pode me dar a chave, e eu vou abrir a porta como um ser humano civilizado. Ou você pode ficar com a chave, e aí eu vou ter que quebrar a porta."

Ela tinha envelhecido. Percebi pelas muitas linhas e rugas que apareceram em sua pele quando ela colocou no rosto a expressão mais sombria que eu já tinha visto em seu semblante doce. Ela mergulhou a mão no espaço entre os seios e retirou a chave de lá. Peguei a chave da mão dela. Estava quente.

XXII

Esohe estava sentada na cama, quieta, quando entrei no quarto. O quarto cheirava fortemente a canela e inseticida. Tinha roupas no chão e na cadeira e na cama, dela e do Remi. Tinha uma tigela de cascas de amendoim em cima da cômoda e umas duas garrafas vazias de vinho. Não sabia que ela estava bebendo tanto. Percebi que havia duas mamadeiras com leite até a metade na mesa de cabeceira. Ela não disse nada. Só ficou lá sentada, o olhar fixo. Acho que eu estava esperando que ela fosse tentar sair correndo.

"Ela não vai mais te trancar. Agora eu estou com a chave."

Ela bufou.

"Você está bem?"

"Como é que eu ia estar bem?"

"Desculpa, Esohe, mas você causou essa situação. Você colocou areia na comida. Você entrou no meu quarto enquanto eu dormia; tenho quase certeza que era você. Você passou sangue na parede..."

"Sangue? Eu admito que coloquei areia no arroz. Eu estava com raiva. Mas não fiz nada com sangue. Juro!"

"Esohe..."

"Por que eu mentiria? Pff! Vocês dois já me trancaram aqui. Já me impediram de ver meu filho. Já me julgaram, me consideraram culpada e me sentenciaram! Por que eu mentiria agora?"

Ela tinha razão. Ela não tinha nada a perder se dissesse a verdade. Mas se não tinha sido ela... Ela queria que eu acreditasse que tia Bidemi, que tinha se ajoelhado e esfregado o sangue com as mãos trêmulas, era a culpada?

Nossos olhos se encontraram e ela balançou a cabeça devagar.

"Por favor, sai do meu quarto. Eu quero ir tomar um banho."
"Esohe..."
"Ou você quer ir atrás de mim lá também? Quer me assistir tomar banho?"
Larguei a chave em cima da cômoda e saí do quarto.

XXIII

Mide me ligou de novo. Eu já estava começando a sentir que ela pertencia a outra época. Só tinha se passado uma semana, mas podiam ser seis meses; estava tendo dificuldade para lembrar do cheiro cítrico que ela tinha, do toque da pele dela. Eu não tinha atendido das últimas três vezes que ela tinha ligado, mas aí estava ela, ligando de novo. Pelo jeito, ela queria mesmo falar comigo. Atendi.

"E aí."

"E aí, como você está?"

"Eu... só quero saber de você. Percebi que nem sei onde você está ficando." Será que ela estava preocupada que eu estivesse na casa de outra mulher? Por que *eu* não tinha pensado nisso?

"O que te importa onde eu estou ficando?"

"Olha, você não precisa ser um cuzão!"

"É só uma pergunta."

"Ah, está certo."

Ela não disse mais nada, mas não desligou. Estava esperando que eu fizesse uma piada, mas as palavras de Esohe estavam pesando na minha cabeça. *O que eu tenho a ganhar mentindo agora?* Pensei no bebê que havia morrido. E em tia Bidemi amamentando Remi com seus seios enormes.

"Você ainda está aí?"

"Quê? Ahn, sim. Sim, estou aqui. Ei, Mide, olha só. Eu tenho uma pergunta."

"Sim?"

"Se uma mulher não amamenta o bebê dela, por quanto tempo o leite fica nos peitos?"

"Que pergunta é essa?"

"Por favor, só me responde."
Ela parou.
"Acho que umas duas semanas, no máximo."
"Tem certeza?"
"Aham. Bastante certeza."
"E o leite pode, tipo... voltar depois?"
"Talvez... não sei. Acho que você devia pesquisar no Google. Não conheço ninguém que fez isso. O que está rolando com você, Bambi? Por que você quer saber sobre bebês?"
"Estou só curioso."
Ela desligou, sem dúvida só de raiva.

Olhei a hora: 15h50. Logo ia ser hora do Remi comer. Ele ainda tomava mamadeira, mas pelo jeito que ficava me encarando enquanto eu comia, acho que já era hora de começar a oferecer alimentos sólidos. Tia Bidemi não estava no quarto dela, então fui para a sala de estar. Escutei ela cantando.

Mas não era tia Bidemi que estava cantando. Esohe estava com Remi no colo. Ela não me olhou quando eu entrei; estava ocupada demais cheirando a pele do bebê. Eu sabia que ela não o pegava no colo há dias, e ele não parecia estar em perigo, mas eu queria tanto arrancá-lo do colo dela.

Antes que eu pudesse dizer qualquer coisa, vi tia Bidemi à minha direita, recostada na poltrona, lendo um livro da Mills & Boon. Elas estavam no mesmo cômodo e ninguém estava arrancando os cabelos de ninguém. A cena, mesmo tão tranquila, me deixou nervoso.

"Ei..."

Esohe levantou o rosto brevemente para sorrir para mim, mas tia Bidemi nem pareceu me ouvir. Ela virou uma página do livro. Remi começou a resmungar e chorar. Esohe voltou a cantar.

"Ele provavelmente está com fome", tia Bidemi disse detrás do livro. "Você quer dar comida pra ele, Esohe?"

"Sim, tia." *Tia?*

Esohe pegou a mamadeira do aquecedor e se sentou, ao

mesmo tempo em que inclinava o bebê para alimentá-lo. Me senti um idiota, lá parado, olhando para eles; mas estava meio que com medo de sair dali. No meio dessas duas leoas, Remi não tinha a menor chance. Me sentei numa das poltronas meio empoeiradas e me recostei, aproveitando a oportunidade para olhar meus e-mails e mensagens. Mide tinha me mandado um textão dizendo que podia conseguir alguém muito melhor do que eu. Eu a ignorei e enviei uma mensagem curta para Bukky para ver se ela estava bem.

"Preciso trocar a fralda do Remi", Esohe disse.

"As fraldas estão no meu quarto", tia Bidemi respondeu. Levantei minha cabeça tão rápido que meu pescoço estralou.

"Ok. Obrigada, tia Bidemi."

Esohe saiu, levando Remi.

"Que merda é essa?" rosnei.

"O quê?"

"Agora você está de boa com a Esohe?"

"Ah. Sim. Ela recuperou a razão."

"E o que você quer dizer com isso?"

"Ela aceitou que o Remi é meu filho."

"Isso não faz sentido..."

"Por favor, eu estou lendo."

Ela voltou para o livro de *chick lit* e me deixou remoendo nossa conversa. Esohe tinha recuperado a razão? Isso não fazia sentido para mim. Levantei e fui encontrar os dois. Esohe estava assoprando na barriguinha de Remi enquanto ele se retorcia no trocador. Ele sorriu quando me viu. Teria sido uma cena bem fofa, se os alarmes dentro da minha cabeça não estivessem tocando tão alto.

"Como ele está?"

"Ele está bem. Ele fez um cocozão. Não é mesmo? Sim. Sim, fez, sim."

"Deve ser bom poder pegar ele no colo de novo."

"É, sim. A tia Bidemi está sendo muito generosa comigo."

Ela deu um beijo na testa dele, o virou de barriga para baixo e passou talco na bundinha.

"Esohe. O que está acontecendo?"

"Como assim?"

"Ontem à noite mesmo você me disse que o bebê era seu. E agora você está dizendo que o Remi é dela?"

"Eu estava errada. As pessoas têm direito de errar."

"Não fica se fazendo comigo, Esohe."

"Não estou me fazendo."

"Eu tenho uma foto do bebê da tia Bidemi. Não dá pra saber se é o Remi ou não. Mas eu estou disposto a ouvir o seu lado da história."

Ela riu: "Ah, você está disposto? Que sorte a minha!"

"Eu quero saber a verdade, Esohe."

Ela pegou Remi do trocador e levantou uma sobrancelha.

"Você é o único que não sabe a verdade."

XXIV

Apoiei a mão na parede do meu quarto. Estava quente. O sol estava assando a casa toda. E a gente estava sem luz de novo. Era como se estivéssemos na Idade Média. Tomei um gole de água e deitei na cama com os olhos fechados.

Será que isso era meditar? Se permitir ficar suspenso num tempo roubado? E era muito pouco tempo. Essa trégua que elas haviam acertado não ia durar muito, eu tinha certeza disso. Respirei fundo...

Tia Bidemi entrou no quarto sem aviso. Deixei o ar sair pelas narinas.

"Esohe me disse que você está falando pra ela dizer que é mãe do Remi."

"Não foi isso que eu disse."

"Ela disse que você falou que tem uma foto que prova que eu não sou mãe dele!"

"Tia Bidemi, eu não quero discutir..."

"Você está me ameaçando, e ameaçando meu filho, e diz que não quer discutir?"

"Eu me importo com o Remi tanto quanto..."

"Eu pensei que a Esohe era o problema nessa casa, mas não percebi que a cobra estava na minha própria família."

"Tia, eu não sei por que ele está querendo arranjar problema." Esohe estava apoiada no marco da porta, me olhando com olhos arrogantes. Ela se aproximou e ficou ao lado de tia Bidemi, muito mais alta do que ela, mas tão perto que elas pareciam um monstro de duas cabeças. "Isso nem tem nada a ver com ele."

"Espera aí", eu retruquei. "É claro que tem a ver comigo. O Remi é meu..."

"O Remi é o quê?"

"... meu primo."

"É isso que você queria dizer? Ou você já anda pensando que é papai dele?"

"Esohe, se comporte!", avisei.

"É por isso que você está assim? Anda contando quantos meses se passaram desde que a gente *fez amor*?" Me levantei, mesmo que não tivesse nem ideia do que fazer para calar a boca dela, além de estrangular a criatura. Ela riu. "Bom, talvez você seja o papai. Talvez não seja. Mas você não pode simplesmente dizer que um bebê é seu, sabe. Não estamos no ano 1000 a.C.!"

Tia Bidemi ficou olhando de Esohe, para mim, e para Esohe de novo. "Do que vocês dois estão falando, Esohe?"

"Tia, há quase um ano, eu e o Bambi passamos uma noite muito especial juntos. Não é mesmo, Bambi?" Ela teve até a pachorra de me dar uma piscadinha.

"É verdade isso, Bambi?", tia Bidemi perguntou.

"Não. Ela é doida."

"Eu posso provar", Esohe disse lentamente. "Ele tem uma tatuagem, tipo de um navio."

Essa não era a primeira vez que eu me arrependia do dia em que tinha aceitado aquele desafio e permitido que me tatuassem. Meus amigos tinham até rolado um dado para decidir o que eu tatuaria e onde. Mas eu nem podia reclamar; eu era o culpado de vários momentos vergonhosos deles. E, bom, eu nunca tinha me arrependido tanto daquele dia como neste momento. Se você é um homem que gosta de se divertir com várias mulheres, não é boa ideia ter características muito marcantes. Era melhor não ter nada que uma mulher pudesse usar como evidência, bem como a Esohe estava fazendo agora.

"E onde fica a tatuagem?", tia Bidemi exigiu saber.

Esohe sorriu. "Ele vai ter que tirar as calças."

"Pode baixar", minha tia grunhiu.

"Oi?"

"Eu disse: pode baixar as calças!"

"Eu não vou fazer isso."

"Por que você não quer provar que não dormiu com a... garota do seu tio?"

"Eu não devia precisar provar. E, bom, mesmo que eu tivesse uma tatuagem, e não estou dizendo que tenho, ela podia muito bem ter descoberto examinando meu corpo enquanto eu me vestia. Você mesma viu ela se jogando pra cima de mim!"

"Olha que a mentira tem pernas curtas, hein", Esohe cantarolou. "Nos mostra o seu naviozão, Bambi. Fica ali, tia, na coxa."

"Baixa as calças!", minha tia gritou.

Na coxa? Afrouxei o cordão da calça de moletom e a baixei até o chão. Mostrei minhas pernas. A parte de dentro, de fora, de trás, na frente. Nenhuma tatuagem. Nenhum navio.

Esohe parou de cantar. "Ele está mentindo!" ela ganiu. Nem tentei comentar; as evidências já eram comentário o bastante.

"Shush!" tia Bidemi colocou a mão na cabeça dela e suspirou. "Desculpa, Bambi. Desculpa por ter duvidado de você."

"Estamos todos tensos."

"Não sei por que eu deixo ela me manipular assim."

"Eu não estou mentindo, eu..."

"Cala a boca! Você só quer que eu pense que o meu sobrinho é ruim que nem você. Você não vai destruir essa família. Entendeu?!" Depois de dizer o que precisava, ela saiu e deixou a gente se encarando.

"Eu não sei que mágica foi essa que você fez, mas eu vou descobrir."

Não respondi. Apontei para a porta e a assisti correr para fora como uma aranha. Uma aranha venenosa. Fechei a porta quando ela saiu e me sentei na beirada da cama. O sol vespertino estava menos forte, o quarto um pouco mais fresco. Respirei fundo. Eu tinha a tatuagem, sim, mas era na bunda. Esohe tinha simplesmente esquecido onde tinha visto o navio.

XXV

Eu e Esohe pertencíamos à mesma geração, então não era nenhuma surpresa que a gente frequentasse os mesmos lugares. E, ainda assim, fiquei surpreso de vê-la na festa. Sempre que eu entrava num lugar cheio, meus olhos faziam uma varredura rápida do local. Eu encontrava onde ficava o bar, qual era a seção VIP, via se tinha alguém que eu conhecia, e identificava as meninas mais bonitas.

Esohe era uma cabeça mais alta do que a maioria das outras mulheres, então ela era fácil de identificar. Mas a menina também dançava muito. Ela não tinha sido abençoada com quadris vantajosos, mas sabia mexer o pouco que Deus tinha concedido. Todo o corpo dela ondulava. O vestido que ela estava usando era dourado e brilhava contra a pele negra, e era curto, ótimo para exibir as pernas longas. Fiquei parado no bar e assisti um cara atrás do outro tentar chegar por trás dela, para aproveitar melhor a arte daqueles quadris em movimento, mas ela simplesmente se esquivava deles.

Minha intenção era só ficar de olho nela. Era a mina do meu tio, e nem fazia meu tipo. Levei um drinque para ela. Ela provavelmente estaria com sede depois de tanto dançar. Tive que me espremer entre os vários grupos de pessoas. Metade do drinque já tinha sido derramado quando finalmente a alcancei.

"Bambi!" A voz dela estava ofegante, rouca. Entreguei o drinque. "Obrigada."

"Por nada."

Ela bebeu tudo e me devolveu o copo. Eu o coloquei numa mesa qualquer. Ela tinha voltado a dançar. Era natural que me juntasse a ela. Ela não se esquivou de mim. Em vez disso, começou a rebolar. Fiquei de boa. Estávamos só dançando. Ela nem era o tipo de mulher que eu achava atraente. Os peitos dela eram tipo maçãs, e um homem não se sentia satisfeito a não ser que tivesse em mãos pelo menos duas melancias. Mas ela estava sem sutiã e isso me deixou meio tonto.

Eu não tinha vindo sozinho. Tinha chegado com um amigo, mas nós sabíamos como as coisas aconteciam. De vez em quando eu olhava para ele e ele fazia um joinha. Ele não sabia quem a Esohe era. Eu nunca tinha tido motivo para falar dela. Depois de um tempo, vi que ele também tinha encontrado uma mina. Respondi à sorte dele com um joinha também.

Eu não tinha tido a intenção de passar a noite toda com ela. Achei que ia dançar com ela uma vez, talvez duas ou três vezes; e aí ia atrás de outra mulher. Mas as coisas nem sempre acontecem como você planeja. Nós fomos embora juntos. Fomos para um hotel que ficava lá perto.

Houve momentos em que me senti culpado? Sim. Mas a soma de todos esses momentos não era o bastante para me distrair da tarefa. E além disso, ela não era esposa do tio Folu. Ela era livre para dormir com quem quisesse. Meu telefone tocou umas duas vezes; obviamente a mulher com quem eu estava saindo na época estava atrás de mim. Mas apesar de seu corpo abundante, ela não sabia se mover do jeito que a Esohe se movia, e, pelo menos naquela noite, ela ficou bem longe da minha cabeça.

Aquela noite foi só sobre a Esohe e eu.

XXVI

"Bambi!" Esohe gritou. "Bambi!"

Saí correndo do meu quarto e a encontrei vindo pelo corredor. Ela estava com Remi no colo e ele estava mole. Esohe continuou vindo, me entregando o bebê. Era como se ela estivesse apresentando o menino para um sacrifício. Dei uns passos para trás – estava apavorado.

"Eu não sei o que fazer!", berrei.

"A pele dele está quente!"

Então ele ainda estava vivo. Sim, o peito dele estava subindo e descendo. Era fraco, mas estava lá e enquanto houvesse um suspiro, haveria esperança. "Me dá ele aqui!", eu disse, e ela o colocou imediatamente em meus braços. Era como se estivesse me passando a responsabilidade dela. Ele era tão pequeno. A marca de nascença que cobria metade do estômago dele, de repente pareceu ameaçadora. Ele estava quente... quente demais.

"Enche a banheira, Esohe. Com água em temperatura ambiente!"

Ela saiu correndo e eu fui atrás, segurando Remi com cuidado. "Vai ficar tudo bem", sussurrei, tanto para mim quanto para ele. Quando cheguei no banheiro, já havia alguns centímetros de água na banheira de bebê. Ajoelhei ao lado de Esohe e o coloquei dentro da água. Ele estremeceu, mas não chorou.

"O que aconteceu?!" Me virei e vi tia Bidemi parada na porta.

"Nos ajuda!", Esohe implorou.

Tia Bidemi desmoronou contra o marco da porta.

"Ele vai morrer? Ele vai morrer. Eu sei que vai!", ela berrou.

"Quê?!" Esohe berrou.

"Você não entendeu? Nenhum desses bebês vai sobreviver. Meu bebezinho amado morreu! Ele morreu! E agora vão tirar o

Remi de nós!" Tia Bidemi estava chorando e arrancando os cabelos. "Ah! Ele vai morrer! Eu sei que vai!" Ela estava histérica.

Tirei o bebê das mãos de Esohe e saí do banheiro antes que a tia Bidemi me fizesse perder a cabeça. Esohe veio atrás de mim e me assistiu tentando fazê-lo beber uma mamadeira com leite e depois uma mamadeira com água. A gente tinha Paracetamol infantil, então tentei oferecer isso também.

Ela tentou conversar comigo enquanto esperávamos a febre dele baixar, mas eu não estava respondendo. O medo estava segurando minha língua. Talvez fosse por causa do medo que Esohe estava falando tanto.

"Ela é doida. Eu te disse que ela é doida. Ela quer que o meu bebê morra", disse; e depois:

"O nome dele é Omoregbe porque ele é minha família." E depois:

"Eu dei à luz aqui, sabe. Eu queria ir pro hospital, mas por causa do vírus... Meu médico não estava nem atendendo. A tia Bidemi me ajudou. Ela me disse pra fazer força."

Coloquei Remi de pezinho. Estava com medo de deixá-lo deitado por muito tempo. Ele começou a vomitar. Depois que ele se acalmou um pouco, tentei ligar para o Uche, mas ele não estava atendendo.

"O que aconteceu?" perguntei para Esohe.

"Como assim?"

"Ele já estava quente quando você foi dormir? Ele estava irritado? Ele comeu alguma coisa que não deveria ter comido?"

"Você está dizendo que isso é culpa minha?"

"Não. Não, não é isso. Só estou tentando entender o houve." Tentei firmar minha voz. Precisava entender o que tinha acontecido mais do que precisava extravasar minha raiva.

"Ele estava bem. E aí ele começou, tipo, a chorar, e eu percebi que ele estava muito quente. Ele tem feito muito cocô também. Tipo, muito mesmo."

"Ok. Ok."

Ficamos numa vigília. Tentei mantê-lo hidratado. Fiz infinitas pesquisas no Google tentando entender o que podia haver de errado com ele. Procurei informações sobre bebês com diarreia. Ele finalmente caiu no sono, mas continuei pesquisando. A internet sugeriu uma solução para TRO. Fui até a cozinha para preparar uma solução com 6 colheres de chá de açúcar e ½ colher de chá de sal dissolvidas em 1 litro de água. Consegui que ele bebesse um pouco quando estava acordado, mas ele logo caiu no sono de novo.

Eu nunca tinha sentido um cansaço tão absoluto e completo. Se tentava tirar um cochilo, o medo logo cutucava meu ombro e eu ficava alerta novamente. Meus olhos se cansaram de assistir o peito dele subindo e descendo. Rezei pela primeira vez em anos.

Tia Bidemi parecia ter superado aquela bobagem de "ele vai morrer". Ela se ofereceu para vigiá-lo. Mas eu nem respondi.

Estava quase dormindo quando o ouvi chorar. Um choro forte e lindo. Partiu meu coração de mil jeitos diferentes. Esohe estava roncando. Como ela podia dormir e ignorar um som maravilhoso desses? Consegui fazer com que ele bebesse um pouco mais da solução TRO antes de cair no sono de novo.

Uche finalmente me ligou de volta e eu expliquei os sintomas do Remi para ele.

"Você está fazendo a coisa certa, Bambi. Ele tem que beber essa solução toda vez que fizer cocô. E lembra que ele precisa ficar hidratado. Daqui uns dois dias ele já vai estar bem."

"Ok, ótimo. Mas eu nem sei por que ele ficou doente..."

"Só cuidem pra que as mamadeiras sempre estejam limpas, e não deem leite velho pra ele."

"A gente não é tão sem noção."

Ele riu de mim e eu tive que sorrir também.

"Se cuida."

XXVII

"Ele está bem agora?", tia Bidemi perguntou. Abri meus olhos e me ajoelhei ao lado da cama. Ele estava bem. Esohe também estava dormindo, jogada meio na minha cama, meio fora dela.

"Ele está bem."

"Você precisa de alguma coisa?"

"Não."

Não era verdade – nós estávamos sem mamadeiras limpas. Andei pela casa coletando as vazias. A maioria estava no quarto da Esohe. Era como se ela fosse alérgica a lavar a louça. Ou a qualquer outra tarefa doméstica.

Um cheiro azedo saiu de uma das mamadeiras. Coloquei o recipiente mais perto do nariz funguei de novo. E de novo. O leite tinha azedado. Será que ela tinha dado esse leite para o Remi? Não consegui encontrar nenhuma mamadeira no quarto que parecesse minimamente nova. Olhei pelo quarto de novo e percebi que até as roupinhas do Remi estavam sujas. Quando ela planejava lavá-las?

Coloquei a mamadeira com as outras e as levei para a cozinha para serem esterilizadas. Aí acordei Esohe gentilmente e disse para ela ir para o quarto dela.

"Pode deixar comigo agora."

"Tem certeza?"

"Sim."

XXVIII

Coloquei minhas roupas lentamente dentro da mala, com medo de ser pego no ato. Mesmo que tivesse bastante certeza que as duas mulheres estavam dormindo.

Dei mais uma olhada no quarto para ver se estava esquecendo alguma coisa. Meu carregador estava na mochila, junto com meu *laptop* e meus fones de ouvido. Minha carteira ainda estava no apartamento da Mide. Arrumar minhas coisas era a parte fácil.

Saí de fininho, abrindo a porta o mais silenciosamente possível. As roupas recém-lavadas do Remi ainda estavam penduradas no varal. Peguei todas. Aí fui até a despensa para pegar todos os pacotes de fraldas. Peguei as mamadeiras e o esterilizador e coloquei tudo no porta-malas do carro. O silêncio fazia qualquer som parecer muito mais alto do que era. Tentei fechar o porta-malas sem ter que bater o capô.

Voltei para o meu quarto e encontrei tia Bidemi lá parada, com Remi no colo. O que eu ia ter que fazer para o tirar dos braços dela?

"O que você acha que está fazendo?"

"Estou indo embora e levando o Remi."

"E a Esohe."

"Não. Só o Remi."

"Você não vai levar a Esohe com você?"

"Não. Por que levaria?"

Tia Bidemi suspirou. A preocupação dela parecia ser pela Esohe. Ela olhou para Remi e acariciou seus cachinhos pretos. Depois, deu um beijinho na testa dele.

"Eu amo esse bebê, mesmo. Não é que eu não sinta amor por ele. Eu sei que você acha que eu sou uma mulher ruim.

Mas eu tentei muito ter um filho. E quando eu finalmente tive um, ele..." Ela começou a chorar. Eu queria sentir compaixão, mas só conseguia me preocupar com o bebê que estava no colo dela. "A menina abre as pernas pro meu marido e fica grávida dele em poucos meses. Você acredita que ele me disse que o bebê da Esohe ia ser um conforto pra mim depois que o meu bebê... Ele disse que esse bebê ia nos trazer alegria! Ele trouxe a Esohe pra nossa casa. E aí ele morreu e me deixou com ela!"

O corpo dela estava tremendo. Fiquei preocupado que ela fosse acordar o Remi e ele fosse chorar, e que o choro dele acordasse a Esohe, e aí nós ficaríamos presos nessa casa com elas para sempre.

Mas tia Bidemi deu mais um beijinho em Remi e o entregou para mim.

"Traz ele de volta depois que tudo isso tiver passado."

"Sim." Eu teria prometido qualquer coisa. Saí da casa.

Eu não tinha uma cadeirinha no carro, então fui obrigado a usar o bercinho e enchê-lo de cobertores. Coloquei o berço no banco da frente, para poder usar meu braço como cinto de segurança quando necessário, e fui indo bem devagar.

Eu estava apostando na sorte. Era mais provável que a Mide me deixasse para fora do apartamento dela, então o som do interfone me dando passagem foi como música para os meus ouvidos. Empurrei a porta e fui com Remi até o elevador.

Quando Mide abriu a porta, ela olhou para Remi, depois para mim.

"Bambi, pelo amor de Deus, você só ficou uma semana fora..."

OYINKAN BRAITHWAITE

Nasceu na Nigéria, na cidade de Lagos, onde ainda reside. Tem graduação em Escrita Criativa e em Direito, pela Kingston University, de Londres. Depois de se formar, trabalhou como assistente editorial na "Kachifo", uma editora nigeriana, e como gerente de produção na "Ajapaworld", uma empresa de educação e entretenimento infantil. Atualmente, Oyinkan atua como escritora e editora *freelancer*.

Em 2014, foi indicada entre as dez melhores artistas *spoken word* (declamação) no concurso de poesia slam "Eko Poetry Slam", em Lagos, Nigéria.

Em 2016, foi finalista do "Commonwealth Short Story Prize", que premia os melhores textos ainda não publicados do ano.

Com o livro *My sister, the serial killer*, em 2020, foi vencedora do "Crime and Thriller Book of the Year at the British Book Awards" e, em 2021, foi vencedora do "Women's Prize for Fiction".

OBRA

2014 – *Icatha – The Soul Eater* (Naija Stories Anthology Book 2). (Participação em antologia de reconto de contos tradicionais da Nigéria).

2018 – *My sister, the serial killer*. (*Minha irmã, a serial killer*. Kapulana, trad. de Carolina Kuhn Facchin, 2019).

2021 – *The baby is mine*. (*O bebê é meu*. Kapulana, trad. de Carolina Kuhn Facchin, 2021).

fontes	Gandhi Serif (Librerias Gandhi)
	Montserrat (Julieta Ulanovsky)
papel	Offset 70 g/m²
impressão	BMF Gráfica
capa	Imagem de Zlatko_Plamenov/ Freepik

OYINKAN BRAITHWAITE

Nasceu na Nigéria, na cidade de Lagos, onde ainda reside. Tem graduação em Escrita Criativa e em Direito, pela Kingston University, de Londres. Depois de se formar, trabalhou como assistente editorial na "Kachifo", uma editora nigeriana, e como gerente de produção na "Ajapaworld", uma empresa de educação e entretenimento infantil. Atualmente, Oyinkan atua como escritora e editora *freelancer*.

Em 2014, foi indicada entre as dez melhores artistas *spoken word* (declamação) no concurso de poesia slam "Eko Poetry Slam", em Lagos, Nigéria.

Em 2016, foi finalista do "Commonwealth Short Story Prize", que premia os melhores textos ainda não publicados do ano.

Com o livro *My sister, the serial killer*, em 2020, foi vencedora do "Crime and Thriller Book of the Year at the British Book Awards" e, em 2021, foi vencedora do "Women's Prize for Fiction".

OBRA

2014 – *Icatha – The Soul Eater* (Naija Stories Anthology Book 2). (Participação em antologia de reconto de contos tradicionais da Nigéria).

2018 – *My sister, the serial killer.* (*Minha irmã, a serial killer.* Kapulana, trad. de Carolina Kuhn Facchin, 2019).

2021 – *The baby is mine.* (*O bebê é meu.* Kapulana, trad. de Carolina Kuhn Facchin, 2021).

fontes	Gandhi Serif (Librerias Gandhi)
	Montserrat (Julieta Ulanovsky)
papel	Offset 70 g/m²
impressão	BMF Gráfica
capa	Imagem de Zlatko_Plamenov/ Freepik